人類の選択

「ポスト・コロナ」を世界史で解く

佐藤 優 Sato Masaru

NHK出版新書
632

人類の選択――「ポスト・コロナ」を世界史で解く　目次

序章　連帯か孤立か、独裁か自由民主主義か

人類は、いま選択を強いられています。

世界規模で拡大した新型コロナウイルスは、個人の心理状態から世界経済に至るまで、大きな脅威をもたらしました。秩序は急速に揺らぎ、従来の価値観は変貌を遂げたのです。**この危機を、国際的な連帯で乗り越えるのか、**それとも**国ごとに孤立することで対処するのか。求められるのは独裁的な指導者なのか、**それとも**民主主義の原則を貫《つらぬ》くべきなのか？**

身近な暮らしもまた変わろうとしています。外出自粛からテレワーク、子どもたちのオンライン授業に至るまで、**「ニューノーマル」**と称される新しい生き方が称揚《しょうよう》されている。**私たちはこれを不可逆的な変化として、ただ受け入れるしかないのか？**

本書では、複数の選択肢に揺れる**コロナ後の世界（ポスト・コロナ）をどのように見通し、どのように生きていけばいいのか、**読者と一緒に考えていきたいと思います。

暴走する行政権

本原稿を執筆している二〇二〇年七月現在、すでに緊急事態宣言は解除され、広範な業種で経済活動が再開されています。しかし、全世界での新型コロナウイルスの感染者数は一三〇〇万人を超え、首都東京でも一〇〇人から二〇〇人に及ぶ感染者が確認される日が続いています。先行きは依然として不透明です。

この間の状況を振り返ってみましょう。

日本では、二〇二〇年四月七日夕刻に、安倍晋三首相が政府対策本部で、東京、神奈川、埼玉、千葉、大阪、兵庫、福岡の七都府県を対象に緊急事態宣言を発出し、同月一六日に対象は全国に拡大されました。

感染者数が増えれば、それに伴って重症者と死者の数も増えます。患者が急増すれば、医療機関では対応できなくなり、医療崩壊が起きてしまう。だからこそ、今回のコロナ危機では、医療崩壊を防ぐことが死活的に重要になるわけです。

新型コロナウイルスへの対策は、国によって異同がありますが、そのなかでも日本の対応は独特のものでした。外出禁止令に象徴されるように、移動の制限を法律や条例で定めている国が多いなか、日本では国も都道府県も、法律や条例によって行動を規制することに対しては慎重な姿勢をとりつづけたのです。

その理由として、法律や条例が存在しなくても、国や都道府県が自粛《じしゅく》を呼びかければ、法律や条例に相当する効果が日本にはあるからです。すなわち行政府が国民の同調圧力を利用するのです。

たしかに、医療崩壊が懸念されるような状況では、行政府による自粛要請は必要です。しかし、その過程で無意識のうちに**行政権（政府）が司法権（裁判所）と立法権（議会）に対して優位になる**可能性がある。それは**国家による国民の監視と統制の強化に直結します。**

冒頭で「従来の価値観は変貌を遂げた」と述べました。まさしくそのとおりで、国家による監視体制強化に対して、「国家は個人の事柄に干渉《かんしょう》するな」という類《たぐい》の、従来のリベラル的な価値観・伝統的異議申し立てでは、同調圧力に覆《おお》われた国民の共感を得られないでしょう。

強制措置に踏み切らなかった日本でも、国家機能、特に行政権が強化される方向に傾いているのですから、コロナ危機に直面して移動の自由や営業の自由を禁じた海外諸国は推して知るべしです。

ハラリの未来予測、崩れる

読者のなかには、この非常事態も一時的なもので、人類はいずれ新型コロナウイルスを克服し、かつての日常に復帰すると考えている人もいるかもしれません。

たとえば、イスラエルの歴史学者ユヴァル・ノア・ハラリによる世界的ベストセラー『ホモ・デウス』にこんな一節があります。

> 三〇〇〇年紀［引用者注：西暦二〇〇一〜三〇〇〇年］の夜明けに人類が目覚めてみると、驚くべき状況になっていた。ほとんどの人はこんなことはめったに考えないだろうが、この数十年というもの、私たちは飢饉《ききん》と疫病と戦争を首尾良く抑え込んできた。（ハラリ『ホモ・デウス（上）』柴田裕之訳、一〇頁、一部ルビを補った）

同書は、有史以来、人類を悩ませつづけてきた飢餓《きが》、疫病、戦争がいまや克服されつつあるという認識のもと、将来、人工知能や医療が高度に進化し、一部の人間が死なない身体を手に入れ、「ホモ・デウス」（神たる存在）の座につく可能性と、人類の未来について考察した本です。

新型コロナウイルスの感染が世界的に拡大している現下、ここで引用した一節をどう考えるべきか。

ハラリは疫病に関して、中世ヨーロッパを襲い、神に祈るほか為《な》す術《すべ》がなかったペスト、医学が発達した現代のエイズやＳＡＲＳ（重症急性呼吸器症候群）と人類の関係について述べ、人類は疫病を克服する方向に向かっていると診断します。

二〇〇三年七月にＳＡＲＳの終息宣言が出されたとき、前年一一月の中国での集団発生からの罹患《りかん》者数は八四三九人、死者数は八一二人でした。一方、新型コロナウイルスは二〇二〇年七月時点、世界で感染者数は約一三〇〇万人、死者数は五七万人を超えました。

感染力は低いけれども致死率の高いＳＡＲＳと、感染力は強いが致死率は比較的低いとされる新型コロナウイルスとでは厳密には比較できないのかもしれません。両者の差も一四世紀に起きたペストの大流行で死亡したと推計される約一億人に比べれば、誤差の範囲であり、歴史的な視点に立てばハラリが主張するように疫病は克服される流れにあるといえるのかもしれません。

しかし本当にそうでしょうか。

筆者は、ハラリが提唱する**飢餓、疫病、戦争が克服されることを前提にした未来予測モ**

デルは、今回の新型コロナウイルスの感染拡大で後退すると考えます。

新型コロナウイルスの感染者数が徐々に増え、誰もがいずれ爆発的な感染拡大が起きると予想するようになると、ウイルス感染は他人《ひと》ごとから自分自身の問題になります。

自分が感染するかもしれない、経済活動にも規制がかかるかもしれない、感染症という「目に見えないもの」によって生命や日常生活を送るための経済的地盤も脅かされるという不安が募ったとき、疫病が歴史的に克服されつつあるという話は、幻想に過ぎないと思われることでしょう。

全体主義的監視＋ナショナリズム的孤立

ならば、私たちはこれからの世界の変容をどのように捉えていけばいいのか。この問いに対して、すでに多くの知識人がさまざまな論考を発表しています。

ハラリ自身も、英国「フィナンシャル・タイムズ」（二〇二〇年三月二〇日）のなかで、ポスト・コロナの世界について次のような選択肢を提示しました。これは本書冒頭で筆者が掲げた選択肢とも一致します。

この危機に臨んで、私たちは2つのとりわけ重要な選択を迫られている。第1の選択は、全体主義的監視か、それとも国民の権利拡大か、というもの。第2の選択は、ナショナリズムに基づく孤立か、それともグローバルな団結か、というものだ。（ユヴァル・ノア・ハラリ「新型コロナウイルス後の世界――この嵐もやがて去る。だが、今行なう選択が、長年に及ぶ変化を私たちの生活にもたらしうる」柴田裕之訳）

前者が**国家内の統治**に、後者が**国際秩序**に関わる問いです。この二つの問いをどう考えるべきか。

筆者は外交官時代、外務省主任分析官として各国のインテリジェンス（諜報《ちょうほう》）機関と接触していましたが、そのなかでも特に、イスラエルのインテリジェンス機関、軍の幹部や学者たちと親しく交際していました。この人脈は現在も維持されています。

二〇二〇年の三月下旬、そのなかの一人であるモサド（イスラエル諜報特務庁）の元幹部と電話で意見交換をしたとき、ポスト・コロナの国際情勢が話題となりましたが、彼の見解は次のようなものでした。

「内政的には、イスラエルでも急速に司法権、立法権に対して行政権が優位になっている。戦争や災害、感染症に直面した場合、迅速《じんそく》な対応が必要になるので、行政権が優位になるのは、ごく普通の動きだ。問題は、いったん、権力を集中させた政府が、なかなかそれを手放したくなくなる危険性があることだ。

国際関係について、私が最も注目しているのがイタリアだ。イタリア北部で新型コロナウイルスによる肺炎であれほど死者が出ているのに、国境を接するスロベニア、オーストリア、フランスはイタリア人の患者を受け入れて支援しようとしない。ヒト・モノ・カネの移動を自由化し、国境を事実上撤廃するＥＵ（欧州連合）の理念が崩壊しかけている」

元モサド幹部とは四月の上旬にも意見交換をしましたが、この半月ほどの国際情勢を見て、彼の確信はいっそう強まったようです。

「ポスト・コロナの世界情勢は大きく変化する。従来の国際協調体制を維持することはできなくなる。しかし、その具体的イメージについては現時点では誰も語れないだろう。いずれにせよ、司法権、立法権に対して行政権が優越し、ＡＩ（人工知能）技術を用いた国による監視が強まることは間違いない」

筆者自身も、彼と同様の見通しを持っています。今後、**国内では行政権が強まり、国際関係ではグローバリズムが後退する**と見ています。ハラリの言葉を使うなら、**「全体主義的監視とナショナリズムの組み合わせ」**です。

歴史とのアナロジーで国際情勢を見通す

ただし、現下の状況診断だけから、これからの世界のゆくえを判断することに、疑問を感じる読者もいるかもしれません。その懸念はもっともです。

情勢はめまぐるしく動いていくものです。各国の危機対応、ワクチン開発、第二波・第三波への備え、米中対立など、新型コロナウイルスに関するニュースは毎日のように報道されています。しかしそういった時期だからこそ、巨視的に情勢を理解する視点を持たなければ、玉石混交《ぎょくせきこんこう》の情報に振り回されてしまうでしょう。

拙著『世界史の極意』でも強調したように、巨視的な視点に立って情勢分析をするうえでは、**過去に起きたこととのアナロジー（類比）によって、現在の出来事を考えるセンスが**

重要です。
アナロジカルに歴史を見るということは、いま、自分が置かれている状況を、別の時代、別の場所に生じた別の状況との比較に基づいて理解すること。こうしたアナロジー的思考は、論理では読み解けない、非常に複雑な出来事を前にどう行動するかを考えるときに役立つのです。

歴史と現在の比較といっても、巷間《こうかん》あふれている「感染症と人類の闘いの流れを紐解《ひもと》く歴史本」程度のレベルでは、知識としては重要でも巨視的分析にはあまり役に立ちません。一歩踏み込んで、**感染症がいかに時代を動かしたのかという視点**で世界史を検討していくことが重要です。たとえば、中世に大流行したペストが当時の社会や経済、人間の内面に与えた影響は、中世から近世・近代という新しい時代へ転換する引き金となりました。

中世のペストのみならず、大規模な感染症の拡大は、世界史を大きく動かしてきました。新大陸を揺るがした天然痘《てんねんとう》しかり、第一次世界大戦を終戦に導いたスペイン風邪しかり。世界史とは、見えざる脅威である感染症に翻弄《ほんろう》されながら、それを乗り越えてきた歴史でもあるのです。このような、**感染症が時代の転換を画してきた歴史を振り返り、現状との異同を考察すれば、私たちがいま、どのような転換点を迎えているのか、より鮮明に理解で**

きると思います。

そして現在、私たちは、世界史を駆動してきた感染症から、再び逆襲を受けている。国際関係では今後グローバリズムが後退すると述べましたが、感染症の逆襲によって、国際情勢も著しく変化を遂げます。筆者は近年、中国やロシア、アメリカなどの大国が、グローバル化が進むなかでかつての「帝国」のようにふるまうさまを、「**新・帝国主義**」と名づけました。しかしポスト・コロナの時代には、新・帝国主義ももはやこれまでのあり方ではいられず、再編成を強いられるでしょう。

独裁体制の再強化を進めるプーチンのロシア、習近平の中国、そして二〇二〇年の大統領選を控えたアメリカの深層など、**ポスト・コロナの時代における新・帝国主義国の生存戦略**を、歴史とのアナロジーをふまえたうえで分析する必要があるのです。

連帯か孤立か、独裁か自由民主主義か――。これはポスト・コロナの時代において、私たち人類が強いられる究極の選択と言っていいでしょう。国家的孤立主義や行政権の強化が進行するなかで、**私たちはどのような選択をするべきか**、歴史的知見や現状分析を応用して考察しなければなりません。

宗教、文学、哲学の復権

　本書では、以上の問題意識と方法論から、ポスト・コロナにおける人類の選択を考察することを目的としています。

　そのうえで、私たち個人は、いままで以上に不確実な時代を生き抜く術を考えなければなりません。先述したモサドの元幹部は、このように話していました。

「新型コロナ後の世界は**「ほんとうの幸せとは何か」「人間の生死はどのように決まるのか」「人生の意味は何なのか」**というような、人間の内面に対する関心が深まるようになる。新自由主義が席巻《せっけん》するなかで軽視されていた哲学や宗教に対する関心が強まると思う」

　筆者も同感です。読者のなかにも、緊急事態宣言の期間に、自らの世界観や人生観を見つめ直した人もいると思います。

　こうした関心に応えるのは、宗教や哲学、文学の役割です。**選択の時代を私たちは、どのように生きるべきか**。本書は、情勢分析だけにとどまらず、**コロナ収束後の実存的な問い**にも踏み込んでいきたいと思います。

本書の構成を紹介しておきましょう。

第1、2章では、ポスト・コロナを考察する手がかりを世界史に求めていきます。歴史を振り返ると、感染症のパンデミックが時代を大きく動かした事例には事欠きません。ローマ帝国しかり、中世ヨーロッパしかりです。

そこで第1章では「疫病と国家の秩序」を、第2章では「疫病とグローバル世界」を主題に掲げ、感染症が国家やグローバルな世界にどのような転換をもたらしたのかという問題を考察していきます。さらに、考察の過程で浮かび上がる重要な論点から、アナロジー的な思考を活用して、現在のコロナ禍の状況を捉え直してみたいと思います。

続く第3章では、新型コロナウイルスが新・帝国主義の時代に与える影響を考えていきます。現代の列強は、コロナ禍にどのように対応したのか。はたしてコロナ禍は、現在の新・帝国主義的な国際秩序を再編するものなのか。監視を強化する国家と、ビッグデータをもつ巨大プラットフォーマーとの関係はどうなるのか――。こうした問題を考えてみます。

第4章では、「連帯か孤立か、独裁か自由民主主義か」というハラリの問いと、それと対《つい》をなすフランスの人類学者エマニュエル・トッドの見解を考察し、そのうえで章の最後に、この二分法には回収しきれない「人類の選択」があることを提示します。

終章では、先述したようにポスト・コロナの実存的な問題に目を向けます。具体的には、人びとの内面世界の変容に焦点をあてながら、選択の時代に、宗教、文学、哲学の果たす役割を展望します。

各章の最後には、それぞれのテーマをさらに考察するうえで役に立つ本をあげました。有益な本はたくさんありますが、ここでは入手しやすく読みやすい本に絞ったつもりです。よりくわしく勉強したい読者は、巻末にあげた参考文献にもぜひあたってみてください。

■ブックガイド1

ユヴァル・ノア・ハラリ
『ホモ・デウス――テクノロジーとサピエンスの未来（上下）』
柴田裕之訳、河出書房新社、二〇一八年

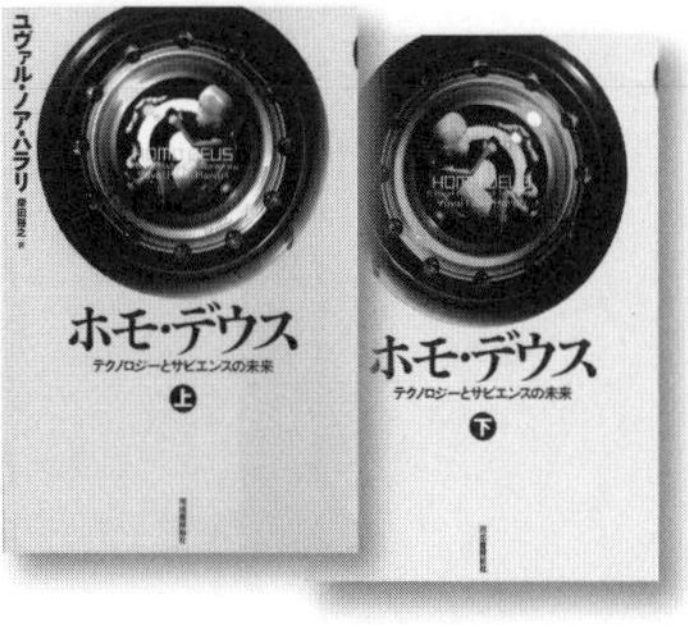

世界的ベストセラーとなった『サピエンス全史』の続編的な一冊。ハラリによれば、飢饉、疫病、戦争という三つの課題を克服しつつある人類は、今後「不死と幸福と神性」を求めるようになる。そして遠くない将来、情報科学と遺伝子工学の融合により、人類は人間ならざる「ホモ・デウス（神たる存在）」に進化すると同時に、人間から権威を剝《は》ぎ取り、アルゴリズムに権限を委《ゆだ》ねる「データ至上主義」が生まれると予測する。

ただし、ハラリはこのような未来像を肯定しているのではなく、私たちの主体的な意志で、未来をより民主的な方向にシフトすることを提言しており、下巻の最後で、読者に未来への自覚を促す三つの問いを投げかけている。

第1章　感染症が国家の秩序を変えた

――「ポスト・コロナ」を世界史で解く①

世界史を紐解くと、時代が大きく転換する時期には、必ずといっていいほど疫病や感染症の大流行が起こっています。ペストしかり、スペイン風邪しかりです。だとすれば、私たちが直面しているコロナ・パンデミックもまた、時代の転換を促す契機になるかもしれません。

実際、序章で触れたユヴァル・ノア・ハラリをはじめ、世界の少なからぬ知識人が、現下のコロナ禍の影響を考察しながら、**人類が大きな選択を迫られていること**に警鐘を鳴らす論説を発表しています。

ただ、現下の状況だけから拙速《せっそく》に人類の選択肢を考えてしまうと、その選択肢自体が近視眼的なものになってしまう危険性があります。そこで第1章と第2章では、世界史のなかの感染症を考察しながら、感染症がどのように歴史を動かしたのかを考察し、それをふまえて、現代の私たちに突きつけられている選択肢を考えてみましょう。

まず本章では、感染症が一国の政体にどのような影響を与えたのかを時代をさかのぼって考察し、続く第2章では、一国内の歴史を超えて、感染症によって国際関係が変貌し、今日でいうグローバリゼーションが駆動されていったことを、順を追って見ていきます。

1　疫病が勢力図を塗り替えた——アテネとスパルタの攻防

アテネの民主政

最初に取り上げるのは、古代ギリシアの都市国家群のなかで覇権を握っていた**アテネを襲った疫病**です。

アテネで感染症が猛威を振るったのは、ちょうどペロポネソス戦争の時期にあたります。そこでまず、ペロポネソス戦争に至るまでの古代ギリシア史を概観しておきましょう。

古代ギリシアは、ミケーネ文明という青銅器文明が栄えたのち、前一二〇〇年ごろから暗黒時代と呼ばれる混乱期に突入します。なぜミケーネ文明の諸王国が、突然崩壊したのか、決定的な要因はわかっていません。

この暗黒時代に、ミケーネ文明が築いた文化は消失し、ようやく前八世紀に入って、都市国家のポリスが成立していくようになります。

数百というポリスのなかで、**民主政のモデルケースとして挙げられるのがアテネです**。アテネを舞台とした民主政は、前五〇〇年ごろから前四四九年にかけて起こったペルシア戦争後に最盛期を迎えます。

ペルシア戦争は、イオニア地方のギリシア人植民市が、自分たちに圧力をかけてきたアケメネス朝ペルシアに対して反乱を起こしたことに端を発します。同じギリシア人であるアテネは、当然イオニアの反乱を支援しました。それに業を煮やしたペルシアは、今度はアテネに遠征軍を送り込みましたが、アテネを中心としたギリシア連合軍はペルシア軍を撃破し、勝利を収めました。

このペルシア戦争が与えたアテネ民主政への影響について、世界史の教科書は次のように説明しています。

> ペルシア戦争勝利後、エーゲ海周辺の多くのポリスはペルシアの再侵攻にそなえてデロス同盟を結び、アテネはその盟主《めいしゅ》となった。アテネは強大な海軍力を背景にほかの同盟諸国に対する支配を強める一方、国内では軍艦《ぐんかん》の漕《こ》ぎ手《て》として戦争に参加する無産市民の発言力が高まった。これを背景に前5世紀半ば頃、将軍ペリクレスの指導のもとでアテネ民主政は完成された。そこでは成年男性市民の全体集会である民会《みんかい》が多数決で国家の政策を決定し、将軍など一部を除き、一般市民から抽選《ちゅうせん》された任期1

年の役人が行政を担当した。(『詳説　世界史』、三三〜三四頁)

ここでいう無産市民とは、自前で武器を調達できない市民のことです。陸の戦いであれば、自分で武装できる市民たちが重装歩兵となって戦線を展開します。しかしペルシア戦争では海戦も重要です。そこで活躍したのが無産市民たちでした。

当時のアテネでは、**戦争に参加することが市民の権利の源泉**になっていました。したがってアテネの無産市民たちは、ペルシア戦争に参加することによって政治的な発言力が高まった。その結果、男性市民全員が参加する直接民主制がアテネで実現したわけです。

疫病の惨状

アテネを盟主とするデロス同盟に脅威を感じたのが、アテネのライバル的なポリスであるスパルタです。アテネのデロス同盟に対して、スパルタはすでに前六世紀に、ペロポネソス半島のポリスによる軍事同盟であるペロポネソス同盟を結成していました。この両者の対立が先鋭化し、前四三一年には全ギリシアを巻き込んでペロポネソス戦争が勃発《ぼっぱつ》します。

戦線は当初、アテネ側が優勢でした。しかしそこに疫病が襲いかかった。世界史の教科書には「はじめ優勢であったアテネは、疫病《えきびょう》の流行でペリクレスを失ってから政治が混乱し、有能な戦争指導者を見出せないまま、ついにペルシアと結んだスパルタに破れた」（前掲書、三四頁）とあります。

教科書ではさらりと記述していますが、**この感染症がアテネに与えた被害は甚大なものでした**。古代ギリシアの歴史家トゥキディデスは、ペロポネソス戦争を主題とした『歴史』のなかで、この疫病について詳細に報告しています。

高熱や目の充血、口腔《こうこう》内の出血症状、呼吸の異臭、嘔吐《おうと》感、極度の下痢といった疫病の症状をくわしく描写したうえで、トゥキディデスは次のように疫病の惨状を語っています。

> この疫病の全貌は筆舌につくしがたく、一人一人の病苦も人間性の限界を越える劇《はげ》しさであった。とくにこの疫病が通例のものとは異なっていたことは以下の記録からも明らかであろう。つまり従来は人肉を食べる鳥獣も野晒《のざら》しの屍体《したい》がいくらあっても寄りつかず、しかもそれを口にした動物は死んだことだ。この証左にこの種の鳥が姿を消してしまい、屍体の辺《あた》りにも他の場所にも見られなくなったことである。また犬

> 類は人間と共住していたために、さらに顕著にその影響を受けた。（トゥキュディデス『歴史（上）』小西晴雄訳、一六四頁、一部ルビを補った）

アテネを襲った疫病が何であったのかは、現在も確定されていません。一説では天然痘や麻疹《はしか》と言われています。

第二波到来

注目しておきたいのは、**この疫病も第二波がやってきた**ことです。トゥキディデスの報告を見てみましょう。

> 冬になると、疫病が再びアテナイを襲った。始めの時との間に休息状態はあったがそれでも完全に消滅してしまったことはなく、再発した疫病は一年以上も続いた。しかも最初は二年間も続いたのでアテナイを苦境に立たせる最大原因となり、その国力に悪影響を及ぼした。兵籍にある者から重装兵が四千四百以上、騎兵が三百、それに無数の群衆が死んだ。（前掲書、二八二頁）

こうした表現から、疫病はかなりのダメージをアテネに与えたことがわかります。古代ギリシア史の研究者である桜井万里子がトゥキディデスを引いて推定するところによれば、重装歩兵と騎兵の約三分の一が命を落とし、全住民でも三分の一強の死者が出たとのことです（『世界の歴史5　ギリシアとローマ』）。

なかでも大きな損失は、世界史の教科書でも触れているように、民主政の指導者ペリクレスが疫病で没したことでしょう。

米中対立とのアナロジー

疫病によるペリクレスの死は、ペロポネソス戦争の敗北だけでなく、**アテネの民主政にも負の影響を与えていくことになります。**

ペリクレス自身がこの疫病で死んだ後、クレオンなどデマゴーグとよばれる新興の大衆政治家たちが指導権を握ると、アテネの政界は混乱し始めた。ペリクレスのような優れた資質をもたぬ彼らは長期的な戦略を立てられず、和平の機会を見失った民衆は迷走した。（『詳説　世界史研究』、四三頁）

補足しましょう。ペリクレスの死後、アテネでは好戦派と和平派の対立が起こります。しかし、好戦派のクレオンという**デマゴーグ（扇動《せんどう》政治家）**が指導権を握ってしまったために、スパルタから提示された和平協定を退《しりぞ》け、戦争を長引かせてしまった。その結果、国力は削られ、政治も迷走していく。一時的な回復期はあったものの、以後、アテネがかつての覇権を取り戻すことはありませんでした。

戦後、アテネに代わってギシリア世界の主導権を握ったのはスパルタです。しかし、それもまた短期的なものに終わります。そして覇権不在のなか、ペルシアの思惑も絡みながら、有力なポリスがたえまなく戦争を続けていく時代に突入します。

アテネとスパルタの抗争は、現在の米中対立のアナロジーとして捉えることが可能でしょう。

ペロポネソス戦争期、アテネの好戦派を支援していたのはおもに貧困な市民層であり、戦争で疲弊した富裕層は和平派が主流でした。その対立は、現在のアメリカの保守とリベラルの対立とよく似ています。

疫病をきっかけに、アテネの国力が奪われ、かわって疫病の被害を受けなかったスパルタが主導権を握る姿も、米中が対立する現在の国際情勢にとって示唆的です。

コロナウイルスの感染拡大が米中対立をさらに深めていくことを、日本経済新聞は二〇二〇年の五月に次のように報じました。

> 米国と中国の対立が新型コロナウイルスの感染拡大で再び深まってきた。大統領選を控えるトランプ米大統領はウイルスの発生源とみる対中批判を強め、火種は従来の貿易や安全保障から広がりをみせる。報復措置の連鎖を招けば、新型コロナの打撃で痛む世界経済の回復をさらに遅らせることになりかねない。
>
> 「あの合意からまもなくウイルスが中国から入ってきた。心躍るわけがない」。トランプ氏は15日、2月に発効した米中貿易の「第1段階合意」の履行が進んでいないと改めて不満をあらわにした。ホワイトハウスで記者団に語った。
>
> 貿易戦争は第1段階合意でいったん収束したはずだった。ただ、新型コロナが世界

に広がると状況は一変した。米国では発生源とされる中国への反感が高まり、世論調査では過去最悪の水準となった。（「日本経済新聞　電子版」二〇二〇年五月一六日）

コロナの封じ込めや被害の度合い、経済回復への着手という点で、本書執筆の二〇二〇年七月時点では中国に分があります。またのちほど詳述するように、アメリカは国内に深刻な分断を抱えてしまっている。こうした点をふまえると、コロナの被害が相対的に小さく済んだ中国は、いままで以上に勢力の拡大に拍車をかけていくでしょう。

古代ギリシアに時間を戻すと、スパルタの栄華も長続きはせず、以後は群雄割拠の戦争を繰り返すようになっていく。未来が不確実である以上、それを現在に単純に当てはめることはできませんが、**疫病が契機となって、旧来の勢力図が大きく変容する**ことだけはたしかでしょう。

ペロポネソス戦争期にアテネは「戦争継続か、和平か」という大きな選択を迫られていました。結果論になってしまいますが、**早期に和平を選び、国力を温存することができていれば、その後の地中海世界のパワーバランスも大きく変わったかもしれません。**

2　指導者の質が歴史を左右する——古代ローマの失敗

五賢帝時代の繁栄と平和

疫病は、古代ギリシアの覇権国だったアテネ没落の引き金となりました。それと同じように、**古代ローマ帝国の衰退にも疫病が大きく関係しています。**

一般に古代ローマは、共和政を樹立した前五〇九年から始まります。以降、西ローマ帝国が滅亡するまで、約一〇〇〇年という長い歴史を持っていますが、その折り返し地点にあたる前二七年に内乱が収束し、アウグストゥスが元首となります。そしてこのときから、ローマは約二〇〇年にわたる繁栄期、すなわち**「パクス＝ロマーナ（ローマの平和）」**の時代を迎えることになるのです。

この時代の様子を、世界史の教科書で確認しておきましょう。

　これ［引用者注：アウグストゥスから始まる元首政］より約200年間の時代は「ローマの平和」（パクス＝ロマーナ）と呼ばれ、空前の繁栄と平和が続いた。とくに五賢帝《ごけんてい》の

> 時代（96～180年）はローマの最盛期で、トラヤヌス帝のとき領土は最大となった。ローマ風の都市が道路や水道とともに国境近辺《きんぺん》にまで建設され、都市文化が浸透した。そのなかにはロンドン・パリ・ウィーンなど、のちに近代都市となったものも多い。
> （『詳説　世界史』、四四頁）

「五賢帝」とはその名のとおり、五人の有能な皇帝のことです。この時代、それぞれの皇帝は貴族のなかから最も有能な者を後継者に選びました。現代風にいえば、**能力主義で皇帝が選ばれていた**わけです。

疫病はローマ帝国に何をもたらしたか

しかし、この五賢帝最後のマルクス・アウレリウス・アントニヌス帝の時代（在位一六一～一八〇）から、パクス＝ロマーナが陰りを見せはじめます。**その大きな要因の一つに疫病があるのです。**

著名な歴史学者マクニールの『疫病と世界史』によれば、ローマにはたびたび疫病が突発していたものの「紀元一六五年からローマ帝国全域に広がった疫病の前には色褪《いろあ》せる」

（マクニール『疫病と世界史（上）』佐々木昭夫訳、一九二頁、一部ルビを補った）といいます。

疫病は、メソポタミアに遠征していた軍が持ち帰り、まず一六五年から一八〇年にわたって帝国を襲い、さらに二五一年から二六六年にかけても同様の規模の疫病が猛威をふるいました。一度目の時期だけでも、疫病の死者数は一〇〇〇万人以上にのぼると言われています。その結果、帝国の財政が大きく傾くことになりました。その経緯をマクニールは、次のように説明しています。

> 一六五年から二六六年まで、未知の疫病という強力な打撃が地中海世界心臓部の富を枯渇させることになる。地中海世界の商業活動が最も活発だったいくつかの経済的中心地で、都市住民の大きな割合の人間が急速に死亡したとき、現金の国庫への流入が激減した。兵士たちに今までどおりの賃金を支払うことができなくなり、反乱を起こした軍隊は文明社会に戻って来て、地中海世界の心臓部全体に長いローマの平和が創り上げた無防備の地域を襲い、実力で奪える限りのものを奪い去った。そしてその結果、より一層の経済的衰退、土地の無人化、人的災厄が到来するというありさまだった。（前掲書、一九六〜一九七頁）

ローマ帝国は、帝国全体を防衛するために、十数万人という規模の兵士を雇っていました。しかし疫病による税収減のため、財政に行き詰まり、兵士に賃金を払えない。結果、引用したように軍隊の反乱が起こってしまう。

のみならずこの時期に、ローマ領内では、軍事的な協力を交換条件に、蛮族に居住を許可するケースが増えていきました。マクニールによれば「これは、ローマ人の納税者や徴用可能な居住者を立ちのかせずとも移民を定住させることのできる、無人あるいはそれに近い土地が存在したことを示」（前掲書、一九五頁）しています。つまり、**疫病によってローマ領内に空白地帯が生まれ、そこにゲルマン民族が入ってくるようになった**わけです。

名君マルクス・アウレリウス帝の失敗

アテネがそうだったように、感染爆発のような有事の際には、**指導者の質が国のゆくえを大きく左右します**。

では、ローマ帝国はどうだったか。マルクス・アウレリウス帝は、ストア派哲学にも造《ぞう》詣《けい》が深い名君として知られています。実際、疫病の危機に直面しても、すぐれた衛生政策を実施したことが記録として残っています。

しかし彼は、**後継者選びで大きな失敗を犯してしまった**。できの悪い実子コンモドゥスを、皇帝に据えてしまったのです。

ローマ史の研究者である本村凌二は、コンモドゥスを次のように評しています。

> 一八〇年、マルクスの逝去《せいきょ》後、コンモドゥスが帝位に就く。この皇帝に対する後世の評判はかんばしくない。なにしろ、英雄ヘラクレスの化身を気取り、剣闘士のかっこうをして闘技場に登場するのだから、卑《いや》しく不埒《ふらち》な皇帝という印象はぬぐえない。元老院に対する敵対感情をあらわにし、気に入った人物だけを偏重する。あげくの果てに、ローマは〝コロニア・コンモディアナ〟（コンモドゥスの植民市）と改名するという。ここまでくれば、もはや始末におえない。さらに、個人の乱行だけではなく、国境の平和を援助金の支払いでごまかし、親衛隊を手なずけようとして俸給を増額する。国庫は圧迫されるばかりで、有力者の財産没収という常套《じょうとう》手段も焼け石に水だった。やがて、側室・侍従・親衛隊長らが共謀して、彼を暗殺してしまう。（前掲『世界の歴史5　ギリシアとローマ』、四二一頁、一部ルビを補った）

やがて二三五年からローマは、それぞれの属州が独自に皇帝を立てては殺害が繰り返される、**軍人皇帝の時代**に入ります。

古代ローマ史では「危機の三世紀」という言い方があります。戦乱の多発、異民族の侵入、経済の弱体化、都市の衰退が同時並行的に進んでいき、**帝国滅亡へと坂道を転がり落ちていく時代**です。

一八世紀のドイツの歴史家、バルトホルト・ゲオルク・ニーブールは、『ローマ史講義（*Lectures on the history of Rome*）』（未邦訳）のなかで、「古代世界は、マルクス・アウレリウスの時代に襲った疫病の打撃から回復することはなかった」と論じています。

史実を見ればそのとおりでしょう。しかし、疫病が帝国衰退の契機となったばかりでなく、**マルクス・アウレリウス帝は、後継者の選択という重要な岐路で大きなミスをしてしまいました**。それは古代ローマ帝国の存亡を左右する選択だったのです。

コロナ禍のなかのリーダー

ここで現在のコロナ禍に目を向けてみましょう。さまざまな報道からも明らかなように、今回のコロナ対応は国ごとに大きな振幅がありました。その詳細は第3章に譲りますが、各国の指導者の舵取りが、その後の被害を左右したことはたしかです。

アメリカのトランプ大統領や英国のジョンソン首相は、当初はコロナ感染を楽観視していましたが、自国での感染者数や死者数の増加が明らかになると態度を急変。事態が深刻であることを認識し、ロックダウン（都市封鎖）に踏み切りました。

しかし両国ともに初動の対応が遅れたために、他国と比べて大きな被害が出ています。**指導者の態度の振幅がそのまま政策の振幅となってしまった**のです。

それに対してドイツのメルケル首相率いる連邦政府は、二〇二〇年三月初頭から感染拡大の危険を国民に警告し、二二日には国内全域にわたる接触制限措置を発令しています。また早くからＰＣＲ検査を積極的に取り入れ、三月後半の段階で週五〇万件のウイルス検査を実施しました。こうした初動対応の早さが功を奏し、コロナによる死者数は低い水準に収まっています。

アジアでは、蔡英文総統の指揮のもと、台湾の初動の早さが群を抜いていました。すでに二〇一九年一二月三一日の段階で入国検疫を強化する指示を出し、一月二〇日には新型コロナウイルスの対策中枢として中央感染症指揮センターを発足させています。そして二月五日には、中国本土の住民の入国を全面的に禁止することも発表しました。

　こうした先手先手の取り組みにより、台湾は一部のイベント中止や営業停止という措置はとったものの、都市封鎖をすることなく、コロナウイルスの封じ込めに成功したのです。

　ただし、国によるコロナ対応の違いをすべて、指導者の質に還元できるわけではありません。本書第3章では、指導者の質という観点とは別に、文化的背景という点から各国のコロナ対応を比較考察しています。

3　ペストが開いた中世への扉

ビザンチン帝国の転換点

　マルクス・アウレリウス帝の時代に流行った疫病が、古代ローマ帝国が衰退する転換点となったように、世界史のなかで、感染症は時代を大きく揺り動かしてきました。**その破壊力が最も大きかったのがペスト**です。

　人類史のなかでペストがいつから発生したのかは明らかになっていません。古くは『旧約聖書』「サムエル記」下の第五、六章に、ペストと思《おぼ》しき疫病を連想させる言葉があります。また、すでに紀元前三世紀ごろから、エジプトや中東でペストが断続的に流行していた記録も残されています。

しかし、世界史的な事件としてのペストは、**六世紀の東ローマ帝国（ビザンチン帝国）に起きたパンデミック**を嚆矢《こうし》とします。その説明に入る前に、六世紀までの東ローマ帝国の歴史を概観しておきましょう。

危機の三世紀を迎えたローマ帝国では、ディオクレティアヌス帝（在位二八四〜三〇五）が帝国を東西に分割し、それぞれに皇帝を置きました。さらに、次の皇帝となったコンスタンティヌス帝（在位三〇六〜三三七）は、首都をローマから東方のビザンティウム（現在のイスタンブール）へと移し、自身の名にちなんだコンスタンティノープルという都市名に変えました。**この遷都《せんと》によって、帝国の西側は荒廃が進んでしまいます。**

その後、四世紀末には正式に帝国が東西へと分かれ、西ローマ帝国のほうはゲルマン人の侵入によって四七六年に滅亡してしまいます。

一方、東ローマ帝国は、ゲルマン人の移動による被害も少なく、その後約一〇〇〇年にわたる歴史を刻むことになります。世界史の教科書では、次のように説明されています。

> ビザンツ帝国は西ヨーロッパと異なり、ゲルマン人の大移動によっても深刻な打撃はうけず、商業と貨幣《かへい》経済は繁栄を続けた。首都コンスタンティノープル（旧名ビザンティウム）は、ヨーロッパ世界最大の貿易都市として中世をつうじて栄えた。（『詳説 世界史』、一三二頁）

なかでも版図《はんと》が拡大したのは、六世紀のユスティニアヌス帝（在位五二七～五六五）の時代でした。ユスティニアヌス帝は、地中海沿岸の王国を次々に撃破し、一時はかつてのローマ帝国に迫る規模にまで達します。

ところがその後、急に国力が低下し、七世紀になるとイタリア、シリア、エジプトを次々と奪われてしまいます。教科書では、その理由として「長期の征服戦争で国力が低下し」（前掲書、一三二頁）たことを挙げていますが、それだけではありません。**六世紀のユスティニアヌス帝のコンスタンティノープルを襲ったペストが、その後のビザンチン帝国衰退の大きな要因になったのです。**

ペストがもたらした地中海世界の衰退

マクニールは、六〜七世紀に流行したペストの被害について、次のように説明しています。

> 歴史がはっきり教えるところは、地中海世界の諸民族にとって六－七世紀のペストが持った意味は、誰でも知っている十四世紀の黒死病と全く等しかったということである。流行した地域では、最初、都市住民の死亡する割合が大きく、全面的な人口減は恢復《かいふく》に何世紀も要した。正確な数を出すことはもちろん不可能である。だがプロコピウスの報告によれば、ペストが初めて到来したとき、最盛期にはコンスタンティノープルで一日一万人が死に、流行は四ヶ月間続いたという。（マクニール『疫病と世界史（上）』、二〇八〜二〇九頁、一部ルビを補った）

ペストによって人口減となった東ローマ帝国は財政が悪化したため、軍事力を十分に維持できなくなりました。そのため七世紀に入ると、アラビア半島を起点に大規模なジハード（聖戦）を展開していたアラブ人のイスラム教徒に、シリアやエジプトを奪われてしまう。つまり、**この時期にイスラム教徒が地中海へと勢力を拡大できた背景には、ビザンチン帝国を襲ったペスト禍があった**わけです。

加えてマクニールは、「ヨーロッパ文明を代表する中心地としての地位が地中海世界から次第に失われ、もっと北の諸地方の重要性がはっきり増大していったという転換には、長い間繰り返されたペストの流行が果たした役割が非常に大きい」（前掲書、二〇九頁）と指摘しています。

繰り返しペストに襲われた地中海世界では、人口が四分の一まで減少し、イスラム勢力に塗りつぶされていきます。こうした地中海世界の文明的な衰退と入れ替わるようにして、**北西ヨーロッパではフランク王国が発展し、ローマ＝カトリック教会を中心とした西ヨーロッパ世界の文化的統一を推進していく**のです。

4　中央集権化と社会的格差――一四世紀、黒死病の猛威

階層によって異なった黒死病の被害

このペストは、一四世紀になると黒死病という名のもとで、今度はヨーロッパ全体を蹂《じゅう》躙《りん》していきます。

西ヨーロッパの中世中期とされる一一世紀から一三世紀までは、人口が増大する発展期でした。教科書では次のようにまとめられています。

> 西ヨーロッパの封建《ほうけん》社会は西暦1000年頃から、300年ほど続く安定と成長の時代にはいった。この時代はおおむね気候が温和《おんわ》で、（中略）農業技術の進歩により農業生産は増大し、人口も飛躍的に増えた。それにともない西ヨーロッパ世界は、しだいに内外に向けて拡大しはじめた。（『詳説　世界史』、一三七頁）

ところが一四世紀になると、西ヨーロッパの膨張は一気に反転して縮小の時代に突入し

ます。そこには寒冷化による凶作や飢饉、さまざまな戦乱も関係していますが、**なにより黒死病の感染爆発が決定的でした。**

一三四六年から翌四七年にかけて、黒死病は、コンスタンティノープルなど地中海各地を席巻しました。その後、ロンドンも含めた西ヨーロッパ各地へと拡大したのち、北欧やポーランド、ロシアまで呑み込んでいきました。

黒死病による死者は、当時のヨーロッパ人口の四分の一から三分の一にのぼると言われています。当時のヨーロッパの人口は約一億人ですから、およそ二五〇〇〜三五〇〇万人が死んだ計算です。黒死病がヨーロッパに与えた衝撃は測り知れません。

ルネサンス文芸の先駆として知られるイタリアのボッカチオは、有名な『デカメロン』のなかで、フィレンツェを襲ったペストの様子を詳細に描いています。『デカメロン』は黒死病の感染から逃れるために、フィレンツェ郊外の別荘に避難した男女一〇人が、一〇日間にわたって毎晩一人一話ずつ物語るという体裁をとった作品です。当時のリアルな状況がよくわかる一節を引用しましょう。作中の話者は上流貴族の様子を話した後、次のように続けます。

ここまでは上流貴族にまつわる話ですが、もっと悲惨な運命は下層民は無論のこと中流階級の大半をも待ち受けていました。それというのはよそへ行こうにも金はなし、空しい希望をあてにして、自分の家か近所かに居残っていたからです。一日に数千人もが発病しました。誰も介抱してくれず、なんの助けもありません。救いの道は閉ざされたも同然です。みんな死にました。昼も夜もです。通りで亡くなった人も相当おりました。もちろん屋内で息絶えた人はもっと多かったのです。腐敗した死体の悪臭でやっと死んだということが隣人にもわかりました。いたるところこうした死人やあした死人で町中が満ちました。（ボッカッチョ『デカメロン（上）』平川祐弘訳、二二五～二二六頁）

この一節だけでも、黒死病がもたらした惨状が伝わってきます。注目したいのは、当時も階層によって被害の度合いが違っていたことです。引用の前では、街から逃げ出して難を避けようとする上流階級の人びとが描写されています。

新型コロナウイルスが可視化した四つの格差

さて、新型コロナウイルスもまた四つの格差を可視化しました。具体的には、①**「国ごとの格差」**、②**「社会階層の格差」**、③**「一国内の地域格差」**、そして④**「ジェンダーの格差」**です。順に説明しましょう。

まず、発展途上国は先進国に比べて、衛生環境や医療体制が不十分です。この差はコロナによる被害と結びつきますから、**国家の間での格差**が可視化されます。

第二に、一国内を見ても、**階層の差や貧富の差**が感染率や死亡率の差となって現れました。たとえばアメリカの死亡率を見ると、白人と非白人の間に大きな差があることが明らかになっています。

エマニュエル・トッドは、二〇二〇年の五月に朝日新聞のインタビューに応えて、次のように述べました。『デカメロン』の時代を想起させます。

「私自身を例にすれば、いま、フランス北西部ブルターニュの別宅にいます。感染が広がる前にこちらに移りました。庭があり、パリよりも人が少ない。言うまでもなく特権的です。庭付き別宅を持つ階層と、庭なしの自宅に住む階層との間ではリスクが違います」

「私たちは、医療システムをはじめとした社会保障や公衆衛生を自らの選択によって脆弱《ぜいじゃく》にしてきた結果、感染者を隔離し、人々を自宅に封じ込めるしか方策がなくなってしまった。その先でこのように貧富の格差による感染リスクの差が生まれているわけです」（「コロナで不平等が加速する」、「朝日新聞デジタル」二〇二〇年五月二〇日）

トッドの言葉が示唆するように、**国内の格差は多くの場合、地域性と連動しています。**フランスの状況を報じた朝日新聞の記事を引用しましょう。

> 新型コロナウイルスの犠牲者が2万8千人に及んだフランスで、全国で最も高い死亡率を記録した県に注目が集まっている。長年、貧困が問題になってきたパリ郊外のセーヌサンドニ県だ。感染しにくいとされる若年人口が多いにもかかわらず、この2カ月間の死者数は昨年の2倍超を記録。不平等が感染拡大を助長したと指摘されている。
>
> 同県は約160万人の人口のうち、貧困水準以下で暮らす人の割合が28%で、国平

均の約2倍。移民が多い地域としても知られる。（「朝日新聞デジタル」二〇二〇年五月二二日）

さらに、正確な統計はわかりませんが、保健師、看護師や介護職、あるいはスーパーの店員など、エッセンシャルワーカーに占める割合は、圧倒的に女性のほうが高く、それだけコロナのリスクに晒《さら》されやすくなっています。したがって**コロナはジェンダー格差の可視化とも結びついています。**

このように、社会的・経済的弱者が感染症の犠牲になりやすい状況は、一四世紀のペストの時代から変わっていません。そして留意しなければならないのは、このような格差を放置すると、**社会の分断が進んでいく**ということです。この点は、第3章で詳述します。

ペスト以後に起こった中央集権化

では、この黒死病はヨーロッパ社会にどのような影響を与えたのでしょうか。時代の転換という観点から見たとき、大きな影響の一つとして、**封建制度の解体を加速させたこと**が挙げられます。そのプロセスを教科書では、次のように端的に説明しています。

> また14世紀にはいると気候が寒冷化し、凶作《きょうさく》や飢饉《ききん》、黒死病《こくしびょう》（ペスト）の流行、あいつぐ戦乱などで農業人口が減少した。このため領主は荘園での労働力を確保するために農民の待遇を向上させなければならず、農民の身分的束縛《そくばく》はますますゆるめられた。これ以降、16世紀までの西ヨーロッパでは、農奴《のうど》が不自由な身分から解放される動きがしだいにあらわれるようになった。（『詳説 世界史』、一四二頁）

ここで書かれているように、人口が大幅に減少すれば労働力が不足します。そうなると、労働市場は売り手が有利になる。すなわち、労働と引き換えに賃金の上昇を求めやすくなる。そして実際に、**ペスト後のヨーロッパでは、庶民や農民の実質賃金が跳《は》ね上がったこ**とがさまざまなデータから明らかになっています。

一方、こうした農民の地位や待遇の向上とは逆に、荘園を経営していた貴族階級は没落の危機に直面します。理由は明らかでしょう。人口が減れば、農産物の需要が減るので、価格も安くなります。それに加えて、農民や労働者に支払う賃金は増えていく。収入は減り、支出は増えていくため、荘園経営が立ち行かなくなっていくわけです。

スタンフォード大学教授のウォルター・シャイデルは『暴力と不平等の人類史』という本のなかで、イングランドの貴族の没落ぶりについて、次のようなデータを挙げて説明しています。

> ペストのせいで貴族階級も劇的に減少した。二世代のあいだに貴族の４分の３は跡継ぎがいなくなり、旧家が消滅して新興の一族が台頭した。エリート階級はその規模も財産も縮小した。礼帯を着用する騎士は13世紀に３倍に増えて３０００人ほどになったが、同等の実質所得レベルで比較すると、１４００年には２４００人に、１５００年には１４００人に減少した。最上位の階層では、貴族の数が１３００年の２００人から１５００年には60人まで減った。多くの場合その原因は、社会的地位の低下と、一族の財産の減少を補うために貴族どうしがまとまったところにあった。記録に残る貴族の所得の最高額も、１３００年から15世紀のあいだに激減した。（ウォルター・シャイデル『暴力と不平等の人類史』鬼澤忍、塩原通緒訳、三九六頁）

ここで、折しも**黒死病が流行した時期は、英仏百年戦争と重なっている**ことに目を向けてみましょう。百年戦争というのは、イギリスとフランスとの間で繰り広げられた領土戦争です。

この戦争中、両国で農民の大きな反乱が勃発しています。どちらも戦争続行のために課せられた人頭税に対する反対が動機となった反乱です。しかし、村上陽一郎が『ペスト大流行』で指摘しているように、「この農民反乱の本質は、農奴の解放を目的としており、さらには富裕な教会聖職者の弾劾をも目的として兼備した体制変革運動」（『ペスト大流行』、一六三頁）でした。

有名なジャンヌ＝ダルクの神がかった活躍で、戦争はフランスの勝利に終わったものの、戦争と疫病が同時に重なったことにより、英仏の諸侯や騎士は没落し、両国ともに中央集権化が進展していく。すなわち、**中世を特徴づけていた封建社会や農奴制が崩壊し、国王を中心とした国家機能が強化されていく**のです。

黒死病がルネサンスと宗教改革を準備した

黒死病は社会経済的な側面のみならず、宗教や文化にも大きな影響を及ぼしました。マクニールが強調するのは、**黒死病の流行によって中世を支配していたローマ・カトリック**

教会の権威が低下したという点です。『疫病と世界史』では次のように述べられています。

> 教会の既存の儀式と聖礼典の手法は、前代未聞のペストの出現に対処するにはあまりに不充分で、むしろ信仰心をぐらつかせる結果を広げるほどだったということである。十四世紀には大勢の僧侶が死んだ。そして後継者たちはまだよく訓練されていず、しかも彼らが相手にしなければならなかった群衆は、公然と敵意をむき出しにしてくることこそなくとも、これまでになく冷笑的になってしまった連中だった。（マクニール『疫病と世界史（下）』、五九頁）

このカトリックの教権低下は、近代の幕開けを告げる二つの大きな出来事を準備することになりました。それが**ルネサンス**と**宗教改革**です。

一般的には、ルネサンスは、一四～一六世紀にイタリアを中心にヨーロッパで起きた芸術・文化の革新運動であり、宗教改革は、一六世紀のヨーロッパに起こった反カトリックの宗教運動だと説明されます。

ただしここで注意したいのは、ルネサンスと宗教改革の性格です。ルネサンスは、中世の教会倫理に疑問を突きつけ、自由な人間性（ヒューマニズム）を称揚する、ギリシア・ローマの古典に還《かえ》れという復古運動ですが、中心には理性の信奉がありました。その意味では、**ルネサンスには啓蒙主義とつながる側面があります**。

対して宗教改革は、まずもって聖書に戻れ、原始キリスト教に戻れという点では復古主義的な性格の強い運動ですが、啓蒙主義とつながる要素はまったくありません。中世のスコラ哲学によって緻密な哲学・神学体系ができたが、そんなところでは救われたという感じがもてない。教会も腐敗し、世俗の権力と癒着《ゆちゃく》して金儲《もう》けをしている。だからこそ宗教改革をして、イエスが唱えたところの素朴な原始宗教に戻ろうというわけです。復古維新という趣旨はルネサンスと共通しますが、こちらはむしろ**反知性主義・アンチヒューマニズム的な運動**でした。

この二つの対照的な出来事が半ば同時代的に起きたことも、黒死病の影響という補助線を引くと理解しやすくなります。

一方で黒死病は、イタリアやドイツの自治都市の行政権力を強化します。マクニールの言葉を見てみましょう。

> 教会特有のどうしようもない硬直性とは打って変わって、諸都市の行政当局特にイタリアのそれは、激越な悪疫の挑戦にかなり素早い対応を見せた。行政官は実際面でいかに対処すべきかを習得していったのだ。埋葬措置を指導し、食糧の供給を確保し、隔離検疫を設定し、医者を雇い入れ、その他流行時における公的、私的な行動規制を定めるなど、大わらわの活躍を示した。（前掲書、六一頁）

黒死病への対応能力を獲得したことで、自治都市の世俗的な権力が教会よりも支持を得ていく。このようにして、イタリアでルネサンスが開花する原動力が整えられていきました。

他方、すでに紹介したように、黒死病の前で教会の儀式はほとんど役に立たず、キリスト教内部で反権威主義が亢進《こうしん》していきます。そのことが「後代のルターの成功を準備するひとつの要因ともなった」（前掲書、六〇頁）のです。

すなわちルネサンスも宗教改革も、その背景には、**黒死病の前で無力だったカトリック教会の権威低下**があったのです。

図1　ペスト医師を描いた版画

5　ホッブズ的国家とロック的国家
——近代国家の二つの潮流

『リヴァイアサン』の表紙

黒死病はその後も、ヨーロッパ社会で感染爆発を繰り返し引き起こし、そのたびに多数の人びとの命を奪いました。

図1は、一六五六年にイギリスで制作された、ペスト医師を描いた版画です。イギリスのロンドンでは、一五世紀から一七世紀にかけて複数回にわたってペストが大流行し、人びとの意識のなかにペストの恐怖は深く刻まれていました。

見たとおり、ペスト医師は鳥のくちばし状マスクをつけています。当時、このくちばし部分には、悪い空気を浄化すれば感染を防げるという考えから、ハーブや香料が詰められていたといいます。

続けて、**図2**を見てください。これは一七世紀イギリスの哲学者ホッブズが著した『リ

図2　ホッブズ『リヴァイアサン』の表紙（左）と、その一部拡大

ヴァイアサン』の表紙（左側）と、その一部を拡大したものです。目を凝《こ》らして書名の「A」と「N」の間の上を見ると、頭部がくちばし状になっている二人のシルエットが描かれていることがわかります。なぜ、頭部がくちばし状になっているのか。それはこの二人がペスト医師だからです。

　ホッブズの『リヴァイアサン』では、放っておけば「万人の万人に対する闘争」が繰り広げられてしまう自然状態を想定するところから出発します。自然状態のままでは、人びとは殺し合いをしてしまう。そこで人びとは生活を守るために、**合意に基づいてみずから**

の権利を権力者に譲渡することに契約し、国家が設立されるというのが大まかなストーリーです。

書名の「リヴァイアサン」とは『旧約聖書』に登場する怪物のことで、誰もが恐れて服従する強大な権力をもった国家をたとえたものです。

こうした絶対的な権力をもつ国家を正当化しようとした『リヴァイアサン』の表紙に、**なぜペスト医師が描かれているのでしょうか。**

『リヴァイアサン』のなかに、直接ペストに触れたくだりはありません。しかしおそらくホッブズは、**パンデミックで社会が無秩序になってしまう状態と自然状態とを重ね合わせているのでしょう。**

『リヴァイアサン』が刊行された一六五一年からしばらくたった一六六五年、ロンドンは再びペストのパンデミックに襲われました。

作家のダニエル・デフォーは、このパンデミックを記録した『ペストの記憶』のなかで、三万、四万という貧民がペストの犠牲になったことを「見方によっては救いとなってくれた」と評して、次のように言います。

> この人びとが生き残っていたら、重くのしかかる貧困を耐え抜くことは不可能だったに違いない。端的に言えば、ロンドン全体で彼らの生活費を賄《まかな》うことも、十分な食料を支給することもできなかったはずだ。こうなるとついに、追いつめられた貧民は、生き延びるためにロンドン市内か近隣の地域で略奪を働くほかはない。遅かれ早かれ、ロンドンだけでなくこの国全体が、すっかり恐怖と混乱に呑みこまれてしまうところだった。（ダニエル・デフォー『ペストの記憶』武田将明訳、一二一～一二二頁、一部ルビを補った）

ペストを体験した作家の想像力もまた、**ペストが自然状態のような恐怖と混乱をもたらす可能性が高い**ことを危惧《きぐ》しています。

一四世紀以降の中央集権化からホッブズの『リヴァイアサン』まで、ペストは強大な主権によって統治される近代国家を成立させた、隠れた主役だったのかもしれません。

国家をめぐる二つの選択肢

ホッブズの国家観が有事の国家を想定しているのに対して、平時の国家や政府のあり方を社会契約によって構想したのがロックです。
高校倫理の教科書では、ロックの考える自然状態を次のように説明しています。

> ロックによれば、自然状態は、ホッブズの考えたような戦争の状態ではなく、自然法（理性）が支配する、自由で平等で平和な状態である。自然状態では、人々は、自然法の範囲内で自分の考えに従って行動する。そして、自然権として、自己の生命・自由・財産に対する所有権をもっている。（『高校倫理』、一四四頁）

この引用からも、**ロックの自然状態は平時の人びとを念頭に置いている**ことがわかります。ただ平時であっても、所有をめぐって争いが起きることはある。それを調停する機関をもつために、人びとは契約をかわして、国家をつくろうとするというのが、ロックの社会契約論の骨子です。

したがってロックの考える国家は、人びとが手綱《たづな》を握っています。政府が権力の濫用《らんよう》に及べば抵抗する権利や解体する権利がある。ロックが構想するのは、**市民的自由を守るための国家**です。

近代国家の歴史を見れば、**国家はつねにホッブズ的国家とロック的国家の間を揺れ動いてきた**といっていいでしょう。

翻《ひるがえ》って現在、コロナ禍のなかの国家をめぐる議論も、この二つの選択肢の間に位置づけられるように思います。そして第二波、第三波に備えなければならないなかで、国家はどちらを向こうとしているのか。この問題は、あらためて第4章で考えてみることにしましょう。

生権力が差別を助長する

ホッブズ的国家と感染症の問題を考えるうえでは、**公衆衛生の権力性**にも目を向けなければなりません。この点を鋭く追求した思想家が、フランスのミシェル・フーコー（一九二六〜八四）です。

フーコーは『異常者たち』という講義集成のなかで、ハンセン病（かつては癩病《らいびょう》と呼ばれた）とペストでは、大きく対応が異なることに注目し、次のように説明しています。

［引用者注：ハンセン病にかかった人が排除されたのに対して］ペストにおいて問題となって

> いるのは、まず、排除ではなく、隔離です。狩り出すことではなく、一人一人に場所を与え、それを指定して、その場所にいるかどうかを隅々まで監査すること。追放ではなく、封じ込めが問題となります。ペストにおいてはまた、清浄な人々と不浄な人々、癩病にかかった人々とそうでない人々というように、人々を大きく二つのタイプ、二つのグループに分割することが問題なのでもありません。そこでは逆に、病気の人々とそうでない人々のあいだに不断に観察された、一連の細かい差異が問題となっています。個別化、すなわち、個別性の細かい粒にまで到達する権力の分割と再分割が問題となっているということであり、したがって、癩病者の排除を特徴づける大きな分割とは非常に遠く隔たっています。（フーコー『異常者たち』慎改康之訳、五一頁）

ここでいう排除とは、**都市や公共空間の外側に追放すること**を意味します。それに対して隔離は、「人々をまず分散させ、次に分離し、個別化し、ひとりずつ監視し、その健康状態を検査し、まだ生きているのかそれとも死んだのか確かめる」（フーコー「社会医学の誕生」小林康夫ほか訳、一八三頁）というアプローチをとるため、**権力によるより微細な監視が強化されていく**わけです。

現代のコロナ禍に対しても、フーコーがペスト対応から取り出した権力モデルは有効です。いや、むしろ**より巧妙になっている**と言ってもいいでしょう。「ソーシャル・ディスタンス」という掛け声のもとで、**人びとに自発的に隔離行動を取らせ、相互監視を働かせる。**このとき行政権力は、労力を割いて一人ひとりを調べる必要はなく、市民が自主的にお互いを監視し合うシステムを統括すればいいわけです。序章で述べたとおり、行政府が国民の同調圧力を利用するわけです。

さらにいえば、この自主的な隔離は、先述したような**さまざまな差別や格差とも結びついていきます。**人びとが自主的な隔離をするなかで、感染拡大防止のために働いている医療従事者やその家族、あるいは物流を担っている宅配ドライバーやその家族が、地域住民から差別的な言葉を浴びせられたり、地元の保育園や学校から通園・通学を拒否されたりということが報道されました。彼らの子どもは、教育面でも、自粛で両親が在宅の子どもよりも不利益を被っています。ひいてはそれが学力格差や将来の経済格差へと発展してしまうかもしれません。

このように効率性と結びついた隔離という権力は、いま現在のみならず、将来にわたって差別や格差を引き起こす暴力性を内に含んでいます。

フーコーは、公衆衛生のように、人びとの生命や生活の隅々に介入していく権力を「**生《せい》権力《けんりょく》**」と呼びました。しかし生権力は、監視的な権力であるだけでなく、**リアルな経済関係と結びつきながら、人びととの間の不和や差別をも醸成《じょうせい》してしまう。**そこに現代的な生権力の怖さがあるのです。

■ブックガイド2

ウィリアム・H・マクニール
『疫病と世界史（上下）』
佐々木昭夫訳、中公文庫、二〇〇七年

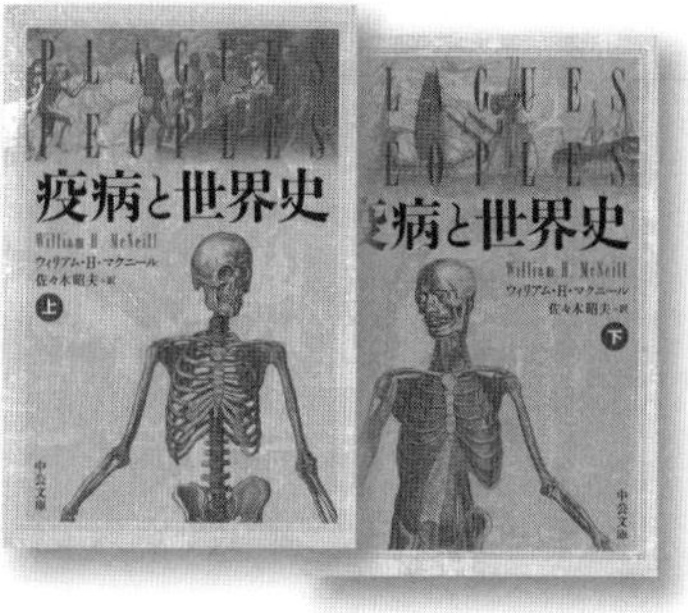

疫病が世界の歴史を動かしてきたことを克明に描き出した名著だ。古代アテネやローマ帝国衰亡のきっかけとなった疫病の流行、さらに中世のペストや新大陸のアステカ帝国やインカ帝国を滅亡させた天然痘など、感染症という補助線を引くことで、世界史をグローバルな視点から読み解く力を培《つちか》うことができる。新型コロナウイルスが世界中で猛威を振るっている現代とのアナロジーを考えるうえでも必読の一冊だ。

第2章　グローバリゼーションと感染症

──「ポスト・コロナ」を世界史で解く②

前章では、ヨーロッパ世界を襲った疫病を通史的にたどりながら、それが西洋の歴史にどのようなインパクトを与えたのかを概観しました。同時に疫病に襲われたそれぞれの時代に突きつけられた「選択」ということに焦点を置き、そこから現代をアナロジカルに見る視点も提示しておきました。

議論を拡散させないために、前章では古代アテネ、ローマ帝国、ヨーロッパと、地域を限定して解説しましたが、新型コロナウイルスの拡大からもわかるように、感染症は本来グローバルに広がっていくものです。

そこで本章では、感染症のグローバルな拡散に力点を置いて、ポスト・コロナの国際情勢を展望するための示唆を世界史から取り出してみることにしましょう。

1 ユーラシアの東西をパンデミックが席巻

唐を襲ったペスト

マクニールの『疫病と世界史』は、六世紀のユスティニアヌス帝の時代に襲ったペストのパンデミックから約二〇〇〇年後、八世紀の後半に中国でペスト感染が起こったことを次のように紹介しています。

> 中国の海に面した各州では、「山東省の人口の半ば以上が死んだ」七六二年以来、一連の疫病の発生が見られ、浙江《せっこう》省で同じような高い死亡率があったと記されている八〇六年まで、断続的に流行を繰り返した。（マクニール『疫病と世界史（上）』、二一八頁）

七六二年は、唐の辺境を管理していた安禄山《あんろくざん》らによる反乱が勃発した時期と重なります。この反乱は「玄宗〔引用者注：唐の六代皇帝〕の権威を失墜させただけではなく、唐帝国の中央集権支配にも壊滅的な打撃を与え、反乱の前年に約８９１万４７０９戸、５２９１万９３０９人あった人口は、反乱後には２９３万３１２５戸、１６９２万３８６人にまで落ち込み、以後５０００万人を回復することはなかった」（『詳説　世界史研究』、二一六頁）といいます。

この急激な人口減少は、反乱だけでなく、八世紀後半に断続的に流行を繰り返したペストも大きな要因でしょう。

唐の時代は、陸海ともに、**東西交易が急速に発達した時代**であり、ペルシア、アラビアから多くのムスリム商人も訪れていました。東ローマ帝国と唐の間で、どのようにペストが伝わっていったのか、はっきりとしたことはわかっていませんが、当時のグローバルな交易が一役買っていたことはたしかでしょう。

そして一四世紀にヨーロッパをペストが席巻したことの背景にもまた、東西交通が大きく関わっていました。それを準備したのが一三〜一四世紀に大帝国を築いたモンゴル帝国とそれに続く元の交通網です。

モンゴル帝国が準備したペストの通路

一二〇六年にチンギス＝ハンが建国したモンゴル帝国は、その後、ユーラシア大陸各地を征服し、一三世紀半ばごろには、朝鮮半島からロシア、イランに至る広大な領域を支配下に収めました。

モンゴル帝国が整備した交通網を、教科書では次のように説明しています。

モンゴル帝国は、初期から交通路の安全を重視し、その整備や治安《ちあん》の確保につとめ、

> さらに駅伝制《えきでんせい》を施行《しこう》した。その結果、おもにムスリム商人の隊商《たいしょう》によって、東アジアからヨーロッパにいたる陸路交易が盛んにおこなわれた。（『詳説 世界史』、一六八頁）

モンゴル語で「駅伝」のことをジャムチといいます。モンゴル帝国（元）では、大都（現在の北京）から主要道路四〇キロごとに駅を設置し、馬や食料を備えさせました。こうして一三世紀に、ユーラシア大陸のグローバル化が加速していくわけです。**東西をつなぐ交通網のなかに、人の集まる場所が多くなれば、それだけ疫病の感染速度は速まり、感染地域も拡散していきます。**それを実証したのが一四世紀の黒死病でした。

マクニールは、その感染経路を以下のように推測しています。

ペスト菌は、中央アジアから一三三一年に中国に侵入し、「その後十六年間、この感染症はアジアの隊商路を旅し、一三四七年クリミアに到達する。ここからペスト菌は船に乗って飛び火し、各地の港へ、そしてそこから内陸へ放射状に延びる道を通って、ヨーロッパと中東のほとんどすべての地域へと侵入した」（『疫病と世界史（下）』、二九頁）。

その際、モンゴル帝国（元）が整備した駅伝網は、ペスト菌の格好の伝播《でんぱ》場所となりました。大量の食料があれば、ネズミやネズミにたかるノミもそれだけ生息しやすくなります。

そこにペスト菌が入れば、またたく間に菌はばらまかれる。そして感染が広がれば、そこから逃げ出す人がまた、別の地域に菌を運んでしまう。この連鎖が次々に起こり、やがて中世ヨーロッパに破壊的なダメージをもたらすことになりました。

が、ダメージを受けたのはヨーロッパだけではありません。八世紀のペストが反乱とあいまって唐を衰退期へと導き入れたように、一四世紀のペストは、寒冷化による飢饉や白《びゃく》蓮《れん》教徒の乱とともに、モンゴル帝国（元）の命運を奪いました。**古代と中世のペストはいずれも、そのグローバルな拡散によって、東西双方の帝国を窮地に追い込んでいった**のです。

2　感染症と帝国主義

新大陸に運ばれた天然痘

ここまで見てきたように、一四世紀までのパンデミックの拡散は、ユーラシア大陸の東西というベクトルで起こったものでした。

しかし一五世紀後半、ヨーロッパが大航海時代を迎えると、ユーラシア大陸のみならず、アメリカ大陸、アフリカ大陸もあわせた**「世界の一体化」**が始まります。それはまた、**新たな感染症が拡散していく時代でもありました。**

「世界の一体化」によって、パンデミックの悲劇が最初に襲いかかった舞台となったのが、コロンブスが到達した「新大陸」です。

最初に、アメリカ大陸の大半を勢力下に入れたのは、当時のヨーロッパの覇権国であったスペインです。教科書では次のように説明されています。

> アメリカ大陸には先住民による諸国家が形成されていたが、スペイン王室は、「征服者」（コンキスタドール）の率いる軍隊をアメリカ大陸におくりこみ、まずコルテスが１５２１年にアステカ王国を破ってメキシコを征服した。ついで33年、ピサロがインカ帝国を滅ぼし、首都クスコを破壊したのち、新しい首都リマを建設した。エンコミエンダ制が導入されたスペインの植民地では、聖職者《せいしょくしゃ》ラス＝カサスのように、先住民の救済《きゅうさい》につとめた人物も一部には存在したが、多くの場合、抵抗を続ける先住民を植民者が労働力として酷使《こくし》した。またヨーロッパから伝染病がもたらされた結果、先住民の人口は激減した。（『詳説　世界史』、二〇四頁）

引用文のなかにある「エンコミエンダ制」とは、先住民のキリスト教化を条件に、国王が植民者に先住民の支配を委託する制度のことをいいます。

ここで注目してほしいのは、末尾の「またヨーロッパから伝染病がもたらされた結果、先住民の人口は激減した」という一文です。ベストセラーとなったジャレド・ダイアモンドの『銃・病原菌・鉄』では、「ユーラシア大陸から運ばれてきた病原菌で命を落としたアメリカ先住民は、ヨーロッパ人の銃や剣の犠牲となって戦場で命を失った者よりはるかに多かった」（上巻、三八六頁）と述べられ、具体的な状況を描写しています。

ダイアモンドの記述に即して、要約しましょう。

コルテスは、一五二一年にアステカ帝国を征服するため、六〇〇人のスペイン人兵士とともに、メキシコ海岸に降り立ちました。しかし、相手のアステカ帝国は人口数百万人、勇敢な軍隊も擁しています。激しい戦闘が繰り広げられましたが、最終的にスペインに勝利をもたらしたのは軍事力ではなく、「一人の奴隷が一五二〇年にメキシコにもたらした天然痘の大流行のおかげ」（前掲書、三八六頁）でした。

この流行で、アステカ帝国の人口のほぼ半分が死亡し、皇帝の命も奪われた。一方でスペイン人には何も起きない。そのことでアステカ軍の士気も下がり、翌年には征服されてしまったのです。

インカ帝国も同様に、天然痘に襲われ、多くの命が失われました。北米も同様です。北米の先住民たちは、ヨーロッパ人征服者によって滅ぼされたのではなく、「ヨーロッパ人がやってきたときには、すでにユーラシア大陸の病原菌によって壊滅状態におちいっていた」（前掲書、三八八頁）のです。

ダイアモンドが報告する数字は衝撃的なものです。最新の調査研究によると、当時のアメリカ大陸には約二〇〇〇万人の先住民が暮らしていたが、コロンブスの新大陸到達以降、「二〇〇年もたたないうちに、先住民の人口は九五パーセントも減少してしまったことが推定される」（前掲書、三八九頁）。

アメリカ大陸の先住民は、ヨーロッパ人と接触するまで、ユーラシア大陸の病原菌に対してまったく免疫がありませんでした。その結果、**おびただしい数の先住民が、天然痘や麻疹、インフルエンザ、チフスなどで命を失ってしまった**わけです。

歴史とのアナロジーでテレワークを捉える

マクニールの『疫病と世界史』でも、新大陸を襲った疫病について、詳細に考察しています。そのなかで特に注目したいのが、疫病に襲われた後のメキシコと、ローマ帝国末期の制度とをアナロジーで捉えているくだりです。その部分を引用してみましょう。

> 労働力の不足と経済的後退が、〔引用者注：新大陸を疫病が襲ったことの〕もうひとつの明瞭な付随的現象だった。それでも既存の社会階層の秩序が存続しようとするなら、様々な形の強制労働の発展と、病気による損耗《そんもう》の集中する都市から地方の大農園への労働力の分散という方策が、必然の成り行きだった。末期ローマの諸制度と十七世紀メキシコのそれは、この点で気味悪いくらい酷似している。（中略）地主や租税徴収者は、自分たちが寄生している住民の人口が根本から衰えていく事実を前にしたとき、同一の反応を示したのは当然で、それが末期ローマと十七世紀のスペイン諸帝国に起こったと思われるのだ。（マクニール『疫病と世界史（下）』、八九〜九〇頁、一部ルビを補った）

補足しましょう。疫病によって衰退期に入ったローマ帝国末期では、都市人口の減少とともに、農場が要塞《ようさい》化し、そこでは強制労働がおこなわれるようになりました。

それと同じように、一七世紀のメキシコでは、大土地所有のもとでの大農園である「アシエンダ」が生まれていきました。アシエンダの地主は、行政・司法の権限を持っているので、農奴のように農民を使役できる。それはローマ末期の農場と類比的であるとマクニールは考察しているわけです。

今回の新型コロナウイルスでも、多くの死者が出たのは、ニューヨークをはじめとした大都市でした。**では今後の世界で、労働力の分散が起こるのでしょうか。**いまのところ、都市住民の人口動態に大きな変化はありませんが、労働力の分散はすでにテレワークという形で進行しています。つまり、**組織全体の労働環境を移すのではなく、個々の自宅に労働力は分散していっている**のです。

日本では、政府が緊急事態宣言を発出した二〇二〇年四月に入って、リモートワーク体制は急速に拡大しました。たとえば、厚労省とＬＩＮＥが連携して実施した調査によれば、東京では四月一五日の段階で、オフィスワーク中心で働いている人びとのテレワーク実施率が五割を超えました。緊急事態宣言解除後もこの流れは続いていきそうです。リモートワークの推進は「働き方改革」でも謳《うた》われていたことですが、掛け声ばかりで実際にはほとんどおこなわれていなかった。それがコロナ禍によって一気に浸透したわけです。

しかしテレワークには、大きな副作用があります。それは**極端な成果主義が会社側の評価基準として導入されていく**ということです。

これまで会社のオフィスでは、社員がどのように働いているかが一目瞭然でした。そのため企業は、労働者を数値的な成果とは異なる側面から評価することも可能だったのです。「あいつはあまり顕著な成績は上げていないが、仕事に明るく熱心に取り組んで、周囲の士気を上げることに貢献している」などといったように。

しかし今後、リモートワークが一般化していけば、そういった評価のモノサシは使えないため、結果だけが評価対象になっていくでしょう。つまり、数値化されない頑張りは明確な成果ではないことから、評価の対象からは外れてしまうのです。

古代ローマと一七世紀メキシコで起こったことが、現下「テレワーク」という名のもとに、さらに歪《ゆが》んだ形で進行していることがわかるでしょう。

テレワークは働き方改革に逆行する

極端な成果主義の導入については、マルクスが『資本論』のなかで考察している**時間賃**

金と出来高賃金の違いから説明することができます。

現在の言葉でいえば、時間賃金とは時間給であり、出来高賃金とは成果給のことです。マルクスによれば、工場労働の場合、出来高賃金は時間賃金が転化した形態です。たとえば一時間あたり、おにぎりを二〇個つくるのだとすれば、二時間なら四〇個、三時間なら六〇個というぐあいに、時間と出来高は連動しています。ですから、どちらで計算しても賃金に変化はないはずです。

ところがマルクスによれば、**資本家には時間賃金よりも出来高賃金を採用するインセンティブがある**。それは「［引用者注：出来高賃金の場合には］労働の質および強度が、労働賃金形態そのものによって規制されるのであるから、この形態は、労働監督の大きな部分を不用なものにする」（『資本論（三）』向坂逸郎訳、七九頁）からです。時間給であれば、その時間内にサボったりしていないかを管理する必要がある。それに対して、出来高賃金は成果に対して支払われるため、時間賃金に比べて管理コストが安く済むわけです。

さらに重要なのは、次の指摘です。

出来高賃金が個性に与えるより大きい活動の余地は、一面では労働者の個性を、した

がって、自由感、独立心、自制を、他面では彼らの間の相互の競争を、発展させる傾向がある。（前掲書、八二頁）

時間賃金と違い、出来高賃金を導入すると、実際には個々人によって成果が異なるため、出来高賃金のほうが、労働者の競争心を刺激することができる。その結果、働く側も出来高賃金に適応していってしまうのです。

ここに**働き方改革の逆説**を見ることができます。働き方改革とは本来、働く人の置かれた事情に応じて多様な働き方を選択できる社会の実現を目指すものでした。しかし、その施策の一つであるテレワークは、監視コストをかけずに、成果主義を加速させてしまう。**テレワークの推進は、効率的に利潤を増殖させたい資本の論理と一致する**わけです。

その結果、労働時間の管理は形骸化し、成果を上げるためにこれまで以上に、自宅での労働を強いられることになるでしょう。したがってテレワークは、資本主義に最適な成果主義や能力主義を強化するものなのです。

このように、テレワークは便利な反面、成果主義と結びつきやすい。そこで見逃されているのは、**身体を介した人間関係の重要性**です。職場のすぐ近くで顔が見えるからこそ、励まし合うことや相談することができる。しかしリモートワークは、個人と個人を分断してしまうため、声をかけ合う関係をつくるのが非常に困難になるのです。

感染症が帝国主義を準備した

感染症に話を戻しましょう。先述したように、ヨーロッパから新大陸にもちこまれた感染症は、おびただしい数の先住民の命を奪うことになりました。

同様のパターンはほかの地域でも繰り返されていきます。すなわちヨーロッパから感染症が伝播したために、感染症に抵抗力のない少数民族は人口減少とともに、文化的な自立性も奪われていくのです。

文化人類学者の池田光穂は、そのことを以下のようにまとめています。

> 十六世紀になるまでほとんど旧大陸民との交渉がなく、かつ大きな疾病文明圏が発達しなかった新大陸の先住民に起こったことと同じことが世界中の隔絶していた少数先住民族に起こった。ヨーロッパと接触した世界の先住民つまり新大陸のインディヘナに引き続き、太平洋島嶼《とうしょ》民、オーストラリアのアボリジニー、シベリアの諸民族、南

> アフリカの先住民族たちの人口は極端に減少していった。その結果、旧大陸との接触があったところでは、先住民人口の急速な減少が起こり、彼らの文化や生物学的な多様性が失われた。（『病気の文明史』、二七七頁、一部ルビを補った）

ここに言われているように、世界が緊密に一体化し、感染症がグローバルに広がっていくことで、抵抗力の弱い先住民族の住む地域は衰退し、領土的なスキマができていく。それは**一九世紀後半から始まる帝国主義の下地を準備することになった**のです。

3 スペイン風邪——顕在した国家間格差

第二波の恐怖

史上かつてない規模の被害を生んだにもかかわらず、世界史の教科書でほとんど触れられていない感染症があります。第一次世界大戦期に世界中で広まったインフルエンザ**「スペイン風邪」**です。

スペイン風邪は、アメリカのカンザス州ハスケルが発祥地であることが通説となっています。一九一八年初頭のことでした。ほどなくしてそれが、カンザスにある兵士の訓練キャンプ場へと伝播し、同年三月に一〇〇〇人以上の兵士が発症、三八人が死亡したという記録が残されています。

兵士の移動にともなって、スペイン風邪も国中の陸軍キャンプに拡大し、そこからヨーロッパ戦線へと渡っていきました。

国立感染症研究所のウェブサイトでは、スペイン風邪の感染について、次のように解説しています。

> スペインフル「引用者注：スペイン風邪」の第一波は1918年の3月に米国とヨーロッパにて始まりますが、この（北半球の）春と夏に発生した第一波は感染性は高かったものの、特に致死性ではなかったとされています。しかしながら、（北半球の）晩秋からフランス、シエラレオネ、米国で同時に始まった第二波は10倍の致死率となり、しかも15～35歳の健康な若年者層においてもっとも多くの死がみられ、死亡例の99％が65歳以下の若い年齢層に発生したという、過去にも、またそれ以降にも例のみられ

ない現象が確認されています。また、これに引き続いて、（北半球の）冬である1919年の始めに第三波が起こっており、一年のタイムスパンで3回の流行がみられたことになります。

なぜ、このインフルエンザに「スペイン風邪」という名前がついたのか。

大戦参加国においては、戦時中には情報統制が敷かれます。そのため、感染症の発生という情報も隠されていました。しかし、中立国だったスペインは情報統制をする理由がありません。そしてこの時期、スペインでもインフルエンザが流行し、国王まで感染してしまったため、大々的に報道された。それがきっかけで「スペイン風邪」と呼ばれるようになりました。

スペイン風邪は三回にわたって繰り返され、第二波が最も致死率が高かった。このことは、今後の新型コロナウイルスの予防を考えるうえで、どれだけ強調しても強調しすぎることはありません。

当時も各国で行動規制をしていましたが、波が去ったと思って規制を緩《ゆる》めたら第二波が来ました。そして第二波も外出規制で収まったと思って緩めたら第三波が来たのです。

スペイン風邪最大の被害国

スペイン風邪の正確な患者数や死者数はわかっていませんが、世界人口の四分の一から三分の一が感染し、全世界で四〇〇〇万人以上が死亡したと考えられています。

アメリカからヨーロッパ戦線に広がったというと、欧米の被害がいちばん多いように思われますが、そうではありません。

じつは、**人数的に最も被害の大きかった国はインド**で、死者数は一二五〇万〜二〇〇〇万人と推計されています。世界全体の死者数が四〇〇〇万人だったとすれば、その三分の一以上をインドが占めている計算になります。

なぜ、インドでの被害が特別に大きかったのか。インド経済を専門とする脇村孝平は、「英領インドにおける「スペイン風邪」（１９１８年）——なぜインフルエンザの死亡率がそれほど高かったのか？」という論文のなかで、次のように結論づけています。

> こうして、１９１８年の英領インドにおけるスペイン風邪は、飢饉と疫病が相乗して起こった典型的事例として、歴史に記録をとどめるべきであろう。インドにとって

表　各国のスペイン風邪（1918–19年）大流行時の推定被害状況（死亡者数と死亡率）

地域	死亡者数（万人）	死亡率（千分率）
インド	1250–2000	42–67
中国	400–950	10.0–22.5
イタリア	32.50–35	8.8–9.5
スペイン	15	7.1
ドイツ	25–30	4.2–5.0
フランス	24	3.9
アメリカ合衆国	55	5.2
ブラジル	18	6.8
ニュージーランド	0.6	5
オーストラリア	1.2–1.3	2.2–2.4
日本	35	6.4

脇村孝平「英領インドにおける「スペイン風邪」（1918年）」の付表「世界におけるインフルエンザ大流行（1918-19年）の推定被害状況」を元に作成

> 致命的であったのは、第一次世界大戦によるインフレ的状況の中で、飢饉が起こったことであり、さらに歴史に例を見ない極めて悪性のインフルエンザが襲ったことであった。こうした不幸な状況は、この時期のインドにおける公衆衛生施策の欠如、特に農村における欠如によって悪化したことも付言せざるをえないだろう。（「英領インドにおける「スペイン風邪」」、一〇五〜一〇六頁）

表は、スペイン風邪による推計死亡者数と推計致死率をまとめたものですが、インドに次いで死者数が多いのは中国です。しかし両者の死亡率には大きな開きがあり、インドは中国の約五倍の死亡率となっています。

こうした数字や脇村の論文内容から考えると、**グローバルなパンデミックといえども、その被害は決して平等ではないことがわかります。**そしてインドの事例が示すように、栄養状況や公衆衛生の悪さが死亡率を押し上げるとすれば、新型コロナウイルスは、今後、発展途上国に大きな被害をもたらすことが予想されます。

パンデミックで国家間格差が顕在化

前章では、黒死病を例にとって、一国のなかでも階層の間で被害の度合いに大きな格差があることを指摘しました。それはいまアメリカをはじめとした先進国で、大きな問題になっています。しかし今後、第二波、第三波がやってきたとき、国内での格差以上に、あらためて**国家間の格差が顕在化する**可能性は高いでしょう。

こうした国家間の格差は、先進国と発展途上国の間だけにとどまりません。次章でくわしく見るように、現在、自由民主主義国家であるアメリカや英国よりも、全体主義的な国家である中国のほうが、コロナの封じ込めという点では成果を上げています。ここでさらに、中国経済の立ち直りが早い場合、人びとの間に中国的な統治への賛同が高まる可能性があります。

ナチズムやスターリニズムが国内のみならず、国外からも一定の支持を得たのは、どちらも経済の回復に成功したからです。

二〇二〇年七月現在、先進国では段階的に規制を緩和し、自由な経済活動を再開しています。**各国は今後、直接的な被害の多寡だけでなく、その後の経済回復まで含めて評価されていくことになるでしょう。**そしてその成果いかんによって、列強各国のパワーバランスも大きく変わっていくかもしれません。

グローバルなパンデミックは、一国の政治経済だけでなく、国際秩序をも大きく揺るがす力を持っているのです。

グローバリゼーションのゆくえ

本章では、グローバリゼーションを補助線として、モンゴル帝国の交通網が準備した一四世紀のペスト、新大陸の先住民に壊滅的な打撃を与えた天然痘、そして第一次世界大戦期のスペイン風邪について概観してきました。

マクロに見れば、人類史は長い年月をかけて、グローバリゼーションすなわち「世界の一体化」を推進してきました。それはまた、**感染症の拡大規模が広がっていく歴史でもあったのです。**

ならば、スペイン風邪を凌駕《りょうが》するような致命的な疫病に人類が襲われても不思議ではなかった。しかし現実は違いました。ユヴァル・ノア・ハラリの言葉を引用しましょう。

> 過去数十年間に、感染症の発生数も影響も劇的に減った。とくに、世界の小児死亡率は史上最低を記録しており、成人するまでに亡くなる子供の割合は五パーセントに満たない。先進国では、その割合は一パーセントを切っている。この奇跡は、二〇世紀の医療が空前の成果をあげたおかげであり、私たちは予防接種や抗生物質、衛生状態の向上、以前よりはるかに優れた医療のインフラ（基盤）の恩恵に浴している。（『ホモ・デウス（上）』、二〇頁）

すでに一九六九年の段階で、アメリカの公衆衛生局長官ウィリアム・スチュワートは「感染症の教科書を閉じる時が来た」と、感染症に対する人類の勝利を議会で宣言しました。さらに一九七九年には、世界保健機関（WHO）が、天然痘の根絶を宣言しています。
しかし、事態はさらに一転したのかもしれません。冷戦が終わり、グローバル化が加速していった二〇〇〇年代に入ると、SARS、MERS（中東呼吸器症候群）、鳥インフルエンザ、豚インフルエンザ、エボラ出血熱という具合に、立て続けに感染症が人類を脅かしはじめたのです。

その延長に、今回の新型コロナウイルスがあると位置づけたとき、私たちはこれまでのように、**グローバリゼーションを徹底する方向に進むべきなのか、それとも国家を閉じる方向に向かうべきなのでしょうか。**

さらに前章では、イギリスを襲ったペストと絡めて、**ホッブズ的国家とロック的国家という選択肢**を挙げました。この選択肢と、グローバル化の是非とはどのように関わっているのか。

第3章と4章では、視点を現在に向けて、ここまでの二つの章で浮かび上がってきた課題について考えてみることにしましょう。

■ブックガイド3

ジャレド・ダイアモンド
『銃・病原菌・鉄——一万三〇〇〇年にわたる人類史の謎（上下）』
倉骨彰訳、草思社文庫、二〇一二年

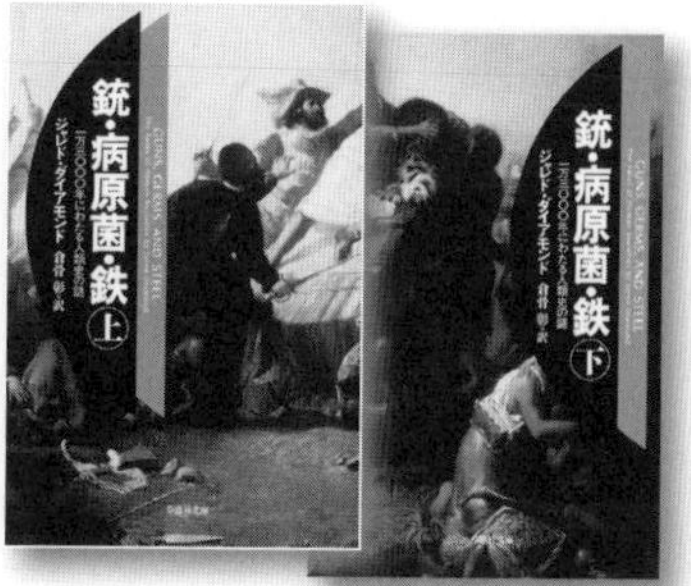

ユーラシア大陸の地理的条件から、文明の発展を解き明かす壮大な人類史だ。ヨーロッパ人が他の大陸の民族を征服した「究極の要因」として、ダイアモンドは、ユーラシアが東西方向に伸びる大陸だったことを挙げている。新大陸のように南北に広がる土地では、気候条件が大きく違うため、農業や家畜を伝播させづらく、疫病に対する耐性も弱い。ヨーロッパ人が新大陸を征服した原因を理解するには、こうした地理的条件の考察が欠かせない。

第3章

新・帝国主義の再編成

——大国の生存戦略をさぐる

序章でも説明したように、巨視的な視点に立って情勢分析をするためには、歴史をふまえたうえで現状をアナロジカルに捉える作業がきわめて有用です。

アナロジカルに現状を見るということは、いま自分が置かれている状況を、別の時代・別の場所に生じた別の状況との類比に基づいて理解すること。こうしたアナロジー的思考は、論理では読み解けない、非常に複雑な出来事を前にどう行動するかを考えることに役立つからです。

この歴史アナロジーの思考から、私は現代の国際情勢を「**新・帝国主義の時代**」と位置づける作業仮説を立てて分析しています。本章では、新・帝国主義を牽引《けんいん》するアメリカ、中国、ロシアをはじめとする列強が、ポスト・コロナの時代にどのような生存戦略を立てているのかを見ていきます。

1 「新・帝国主義」の本質

「新・帝国主義」はいつから始まったのか

「新・帝国主義」は、筆者の著書の読者にはおなじみの言葉かもしれませんが、ここで要点をあらためて説明しておきましょう。

「新・帝国主義の時代」はもちろん、世界史のなかで「帝国主義の時代」と呼ばれる時代を前提としています。**「帝国主義の時代」は、一八七〇年ごろから第一次世界大戦に至る一九一三年までのこと**をさします。この時期、欧米列強が軍備を拡大させ、世界各地を自らの植民地や勢力圏として支配していきました。

世界史の教科書では、次のように説明されています。

> 主要国の資本主義が発達し、相互の競合《きょうごう》が激しくなると、将来の発展のための資源供給地や輸出市場として、植民地の重要性が見直された。不況《ふきょう》と低成長が続いた1870年代以降には、本国と植民地との結びつきを緊密《きんみつ》にし、まだ植民地となって

> いない地域を占有しようとする動きが高まった。この背後には、欧米諸国に、ヨーロッパ近代文明の優越《ゆうえつ》意識と非ヨーロッパ地域の文化への軽視が広まり、非ヨーロッパ地域の制圧や支配を容易にする交通・情報手段や、軍事力が圧倒的に優勢であるという状況があった。80年代以降、諸列強はアジア・アフリカに殺到《さっとう》し、植民地や勢力圏をうちたてた。この動きが帝国主義である。（『詳説 世界史』、三〇九頁）

ここで説明されているように、一般に帝国主義とは、**世界的な不況に見舞われた一八七〇年代末以降、巨大企業が国家と結びついて海外進出や植民地の拡大を図る、列強の経済的・軍事的な膨張政策**のことを意味します。

ここで重要な点は、帝国主義の勃興には「**覇権国家の弱体化**」が伴うということです。かつてイギリスが覇権国家だった時代は、自由貿易の時代でした。しかし、イギリスの力が弱くなると、ドイツやアメリカの台頭が始まり、やがて群雄割拠の帝国主義の時代が訪れました。

その後、二回の世界大戦とソ連崩壊を経て、二〇世紀末にはアメリカが圧倒的な覇権国として君臨するようになります。しかし、二〇〇一年の同時多発テロ事件と二〇〇八年のリーマン・ショックを経て、アメリカの弱体化が明らかになると、今度はロシアや中国が軍事力を背景に、国益を露骨に主張するようになりました。その結果、**かつての帝国主義を反復する「新・帝国主義の時代」**が訪れたのです。

新旧の帝国主義の相違点

ただし、現代の新・帝国主義は、かつての帝国主義とは異なります。

一九世紀末から二〇世紀初頭まで、欧米の帝国主義列強は軍備拡大を競い、植民地を求めて抗争を繰り返しました。その植民地再分割抗争の結果が、第一次世界大戦でした。それに対して、**二一世紀の帝国主義は植民地を求めません**。それは人類が文明的になったからではなく、単に植民地を維持するコストが高まったからです。

そしてもう一つ相違点がある。かつての帝国主義の時代は、第一次世界大戦を招来したように、最終的には世界戦争に行き着きます。それに対して、新・帝国主義は**「戦争ができない帝国主義」**です。核兵器が存在するという状況のもとでは、核保有国間の戦争というのは考えられません。

しかし新・帝国主義であっても、**外部からの搾取と収奪により生き残りを図る**という帝国主義の本質や行動様式自体は変わっていません。

こうした帝国主義の時代には、二つの異なったベクトルの引っ張り合いが繰り広げられます。一つは**グローバル化の進展**、もう一つは**国家機能の強化**です。

一九世紀後半はグローバル化の時代でした。一九世紀は「移民の世紀」と呼ばれ、数千万人というかつてない規模の移民が生まれました。国境を越えた資本の移動も活発になります。

ところがグローバル化が進むにつれて、欧米列強は権益拡大のため、独占資本と結びついて、力による市場拡大と植民地化をめざすようになり、国家機能が強化されます。

冷戦崩壊後も同じです。

グローバル経済が浸透した結果、先進国の国内では格差が拡大し、賃金も下がっていく。それは社会不安につながります。国内で社会不安が増大すれば、国家は当然、国力を強めて内側を立て直そうとします。その意味で、グローバル化の果てに訪れる帝国主義の時代に、国家機能が強化されるのは必然といえるでしょう。

二〇一六年に起きた英国のＥＵ離脱へ向けての動きやアメリカのトランプ大統領誕生も、グローバル化に伴う国家機能の強化の現れにほかなりません。そして、その背景にあるのは、露骨な国益の主張なのです。

2 アメリカ――混迷を深める大統領選後の状況

深まる分断の溝

では、今回のコロナ禍によって、新・帝国主義はどのような影響を受けるのでしょうか。

第1章では、マルクス・アウレリウス・アントニヌス帝統治下のローマ帝国とのアナロジーを用いて、指導者の危機管理能力について解説しました。本章ではそれをふまえながら、コロナ禍以外の要因にも目を配り、現在の新・帝国主義の様相を見極めていきたいと思います。

最初に取り上げるのは、大統領選を二〇二〇年の一一月に控えるアメリカです。

新型コロナウイルスに対するトランプ政権の対応に、アメリカ国民が不満をいだいていることは、さまざまな支持率調査からも明らかになっています。そこに輪をかけて、白人警官によるアフリカ系アメリカ人の殺害をきっかけに、アメリカの内政は深刻な危機に直面することになりました。

まずは事実を確認しておきましょう。

> 米中西部ミネソタ州ミネアポリス市当局は（５月）26日、白人警官が容疑者の黒人男性を逮捕する際、行き過ぎた暴力行為があったとして関係する４人の警官を解雇した。
> ４人のうち１人の白人警官が25日、詐欺容疑でジョージ・フロイドさん（46）を同市近郊で逮捕する際、膝でフロイドさんの首を地面に押し付け、フロイドさんが「息ができない」と訴える様子が動画で拡散した。フロイドさんはその後、死亡した。（「共同通信」二〇二〇年五月二七日）

この情報がＳＮＳで拡散され、アメリカ全土での抗議活動が広がりました。最初は比較的穏やかなデモ行進と集会でしたが、コロナ禍のストレスによる増幅も手伝って、デモは徐々に過激化し、放火や略奪にまで発展してしまった。一九六八年のキング牧師暗殺時以来の騒乱に発展したこの抗議デモに対して、トランプ政権は武力行使も辞さない態度でのぞみ、それがまた分断を深める結果を招いています。

統治メカニズムの機能不全

アメリカでは、所得の低い黒人の死亡率が高いことが示すように、コロナによる被害の格差が顕著に出ています。したがって、もともと人種差別や格差がコロナによって一層可視化されたところに、今回の事件が起きた。その結果、人種、貧富の差による分断が暴力的な衝突にまで発展したわけです。

ここで注目したいのは、デモに参加する人びとが密集していることです。デモの様子を見ると、デモ参加者はマスクこそつけていますが、新型コロナウイルスによる感染の危機は二の次という様子がうかがえるのです。

それに対して、警察や州兵は、感染に怯《おび》えながら警備をおこなっています。普段ならば、火炎瓶やライフル銃程度で武装したデモ隊を、州兵の武器によって制圧することは簡単ですが、新型コロナウイルス感染に対する恐怖感のために治安当局の対応が及び腰になっている。**こうしたミクロな点でも、分断が可視化されている**のです。

分断の深まりは、力によって「暴徒」を鎮圧すべきであるというエリート層の声が強まっていることからも見て取れます。たとえばアメリカのエリート層が読む、保守系の高級紙「ウォールストリート・ジャーナル（WSJ）」は、6月1日の社説でこう主張しました。

黒人男性のジョージ・フロイドさんが5月25日に警官に押さえ付けられて死亡した事件を受け、同月末の週末に米国の多くの都市で暴動が起きたが、この暴動の際に見られた暴力の激しさは、事件に対する怒りとして正当化できる範囲を超えていた。暴動を起こした人々は、商店での略奪行為や警官への襲撃について、罰を受けていない。そして彼らは、さらに大規模な公共秩序の破壊を行うと警告している。政府が最優先すべき仕事は、何の罪もない人々を守り、秩序を回復させることだ。

（中略）総じて彼ら［引用者注：リベラルなメディアや知識人］は、暴動を社会的不正に対する理解可能な対応と表現する。警察を非難した彼らの大半は、（暴動で）燃えさかるコミュニティーからはるか離れた場所に住んでいる。基本的な社会的秩序なしに社会的不正に対処できないことを彼らは無視している。米国で起きた混乱の夏の主な被害者は、炎の立ちのぼる地域の貧しい人々とマイノリティー（人種的少数派）だろう。

このエリートの声に呼応するように、トランプ大統領は米軍を派遣する意向を表明しました。軍隊が治安維持のために投入されるようになれば、多数の死傷者が発生しかねません。それはまた、アメリカ社会に解決不可能な分断を生み出す危険性があります。

さらに、トランプ大統領の意向が表明されるや、エスパー米国防長官は、鎮圧のための米軍派遣に反対する姿勢を明らかにしました。

現職の国防長官が大統領に反旗を翻すというのは、明らかに異常事態です。日本の報道では、エスパーの良識を礼賛《らいさん》する論調が目立ちますが、軍隊を動かすことができる国防長官が、民主的手続きに従って選ばれた大統領の指揮命令に従わないという意思表示をしたことは、**アメリカの統治メカニズムが機能不全に陥っている**ことを示すものです。

こうしたことに鑑《かんが》みたとき、**アメリカが直面している危機は、国家体制を毀損《きそん》する水準に近づいている**ことがわかるでしょう。

二〇二〇年の六月、映画の『風と共に去りぬ』が、作品内の黒人描写が偏見を含んでいるという指摘がなされた結果、配信停止となりました。問題が映画という文化の領域までおよんだということは、もはや分断が不可逆的なものになったということです。

アナーキスト系ネットワークの脅威

前項でふれた抗議デモで気になるのは、アナーキスト系のネットワーク組織「アンティファ」（反ファシストの意味）が関与している可能性があることです。この点については、抗議デモはアンティファに扇動されているというトランプ大統領の発言もあながち否定できません。欧米では、マルクス主義の影響が退潮するとともにアナーキズムの影響力が世界的規模で拡大しているからです。

ソ連崩壊後、共産党や新左翼など共産主義勢力の影響力はヨーロッパで著しく後退しましたが、アナーキズムに関しては、これまで共産主義に引き寄せられていた不満分子を吸収することで、むしろその影響力を強めているのです。

アナーキストは、自らを特定の主義を掲げる勢力と規定しない場合が多い。フランスのマクロン政権の燃料税引き上げ政策への反発をきっかけに、二〇一八年一一月に同国の首都パリで始まった抗議運動「黄色いベスト運動」（デモの参加者がフランス語で「ジレ・ジョーヌ」と呼ばれる黄色い安全ベストを着用していることに由来）も、アナーキズムとの親和性が高いのです。

ここで重要なのは、アメリカでアンティファが起こす騒擾《そうじょう》を利用して権力を奪取しようとするグループが出現する可能性があるということです。そういうグループが参考にするのが、二〇世紀の前半に活躍したイタリアのジャーナリストにして小説家クルツィオ・マラパルテ（一八九八～一九五七）によるクーデター論。特に示唆に富むのが、著書『クーデターの技術』（一九三二）で展開された、革命の技術論です。

マラパルテは、一九一七年一一月にボリシェビキ（ソ連共産党の前身）が革命に成功したのは、**大衆を動員することに成功したからではなく、国家の神経系統であるインフラと、それを運営できるテクノクラートを掌握《しょうあく》できたからだ**と考えました。マラパルテによれば、このことをきちんと意識していたのは、レーニンではなく、レフ・トロツキーでした。同書では、トロツキーのこんな言葉が紹介されています。

「（前略）機関銃で政府と闘っても大して意味はない。大切なことは、国家権力を奪取することだ。戦術的な観点からみれば、共和国評議会、各省庁、ロシア国会は、武装蜂起の対象としては、まったく意味がない。国家権力の中枢は、政治・官僚機構、つまりトーリッド宮殿、マリア宮殿、冬宮にあるわけではなく、国家の神経組織、すなわち発電所、鉄道、電信・電話、港湾、ガスタンク、水道にある」（マラパルテ『クーデ

ターの技術』手塚和彰、鈴木純訳、一一五頁）

マラパルテによれば、騒擾を巧みに利用して、権力を奪取することは可能なのです。これは現実離れした話では決してありません。筆者は、一九九一年八月のソ連共産党守旧派によるクーデター未遂事件から同年一二月のソ連崩壊の過程を、日本の外交官として目《ま》の当たりにしましたが、ロシアのボリス・エリツィン大統領らは、まさにマラパルテが指摘する技法でソ連のテクノクラートを味方に付けることで、国家権力を奪取したのです。

ポスト・コロナの時代に何が起きるかはまったく未知数です。情勢が今後、いっそう混迷を深めればアンティファが権力を奪取する可能性は十分にある。日本では、アナーキズムの影響力が過小評価されています。アンティファをはじめとするアナーキスト系ネットワークの脅威に対して、日本政府ももっと関心をもち、調査するべきでしょう。

迷走するトランプ外交

内政のみならず、外交政策でもトランプ政権は迷走しています。トランプ大統領は、六月二五日に首都ワシントン郊外で、主要七カ国首脳会議（Ｇ７サミット）を開催すると宣言しました。しかしドイツのメルケル首相が、新型コロナウイルスの感染が収束しておらず、時期尚早として出席を辞退した。するとトランプ大統領は五月三〇日、移動中の飛行機のなかで記者団に対して驚くべき発言をおこなったのです。

> トランプ米大統領は30日、6月に米国で開催する方針だった主要7カ国首脳会議（G7サミット）を9月以降に延期すると明らかにした。また、G7は「非常に時代遅れの国のグループだ」と述べ、インド、韓国、オーストラリアのほか、ロシアを招待し、「G10かG11」にする意向を示した。中国への強硬姿勢を打ち出すトランプ氏は、新たな枠組みで対中政策を協議したい考えだが、実現の見通しはたっていない。（「朝日新聞」二〇二〇年六月一日）。

韓国からは肯定的反応がありました。韓国がサミットのメンバーになれば、会合で慰安婦問題、徴用工問題などを取り上げてくれる可能性が高いからです。

他方、ロシアのプーチン大統領の反応は報じられていませんが、筆者はプーチン大統領がトランプの提案を受け入れる可能性は低いと見ています。なぜなら、サミット拡大構想の主たる目的は、中国に対する包囲網を形成することにあるからです。ロシアにとって、西側諸国との関係を改善するという観点からすれば、サミットへの復帰には意味がある。しかしその結果、友好国の中国との関係を著しく損ねるようなことをプーチン大統領はしないでしょう。

いずれにしても、思いつきレベルの提案を振り回すトランプ外交は、今後も迷走を続ける可能性が高そうです。

先述したように、帝国主義の進行は、覇権国家の弱体化と軌を一にします。以前にもましてアメリカの危機の水準が高まっていることは、**新・帝国主義的な国際秩序がいっそう強化されていくことの兆候**かもしれません。

長老派としての思考パターン

さて、読者のみなさんがいちばん知りたいのは、二〇二〇年一一月以降のアメリカの状況、すなわち大統領選を経て、アメリカがどう変貌するのか、ということでしょう。

残念ながら、本書執筆の二〇二〇年七月時点では、大統領選についてもその後のアメリカの状況についても、確たる予想をすることは不可能です。本項で指摘した危機的状況は変わらないにせよ、大統領選までのあと四か月間で、危機的状況を受けて、トランプ大統領が何をしでかすか、まったく予想がつかないからです。

しかし、補助線を引くことはできる。それは、トランプ大統領が長老派（カルヴァン派）であるということです。長老派は、自分たちは生まれる前から神に選ばれた存在であり、現生での成功が保証されているという思考パターンを持っている。トランプ大統領がやることも、いっけん無茶苦茶に見えても、彼が長老派であるということをふまえれば、理解可能です。あの逆境での強さは、長老派特有のものです。

二〇世紀以降のアメリカで現役の大統領で長老派だったのは、国際連盟をつくったウッドロウ・ウィルソン、ノルマンディー上陸作戦を敢行したアイゼンハワー、そしてトランプです（ロナルド・レーガンも長老派ですが、彼の場合、長老派になったのは大統領を退いてからでした）。つまり、アメリカで長老派が大統領になるのは異例のことなのです。

トランプ大統領もまた、自分が選ばれ、救われていると確信していることでしょう。さらに彼の信仰は、クリスチャンシオニズムとも親和的です。キリストの再臨と終末の日が来る前に、「イスラエルの回復」があると信じているわけです。だからこそ、トランプ大統領はエルサレムへ大使館を移転したわけですし、たとえそのことが戦禍を招いたとしても、

「自分たちは勝利する」と信じているわけです。

ちなみに、主体《チュチェ》思想を唱えた北朝鮮の金日成《キムイルソン》も長老派でした。彼の回想録『世紀とともに』を読むと、子どものころに長老派の教会に通っていたときのエピソードがくわしく記されており、金日成に長老派的な予定説が徹底的に叩き込まれていることがよくわかります。意外なことに、トランプ大統領と金日成のOSはきわめて近いのです。

3　英国とEU――「コモンウェルスの回帰」と「ドイツ第四帝国の矛盾」

国民感情に訴えたジョンソン政権

次に、ヨーロッパに目を向けてみましょう。

コロナ危機以前、ヨーロッパのゆくえを占う最大の論点となっていたのは、英国のEU（欧州連合）離脱問題でした。

二〇一六年から三年以上にわたり、英国議会は政権の離脱方針を拒否しつづけました。それを覆《くつがえ》したのが、二〇一九年一二月におこなわれた下院総選挙です。この選挙で離脱を唱えるジョンソン首相の与党・保守党は過半数の三六五議席を獲得し、英国がEUから離脱することが決定的になりました。

当時の状況を朝日新聞の記事で確認しておきましょう。

離脱派が勝利した国民投票から3年半、曲折を経験した英国民はEUを去る手続きを進めることを選んだ。保守党はサッチャー政権下で圧勝した1987年以来、最大の得票を記録。ジョンソン氏は13日午後、官邸前で「離脱を成し遂げるという負託を受けた。1月末までに実行する。3年半の不毛な議論をここで整理し、癒やしを始めようとみんなに求めたい」と語った。

政権の離脱方針はこれまで、議会で何度も否決されてきた。改選前の保守党は過半数に満たない298席にとどまったからだ。

政権は、離脱の実現には保守党の単独過半数の確保が不可欠だと判断。野党から解散総選挙の実施に同意を取り付け、保守党の全候補から政府方針に従うとの誓約をとった。ジョンソン氏は「離脱を終わらせよう」と繰り返し、政治停滞に対する国民のいらだちをうまくすくった。年内にも離脱に向けた法案を議会に提出し、来年1月

末に離脱したい考えだ。（「朝日新聞デジタル」二〇一九年一二月一四日）

ジョンソン首相が率いる保守党が大勝利を収めたのは、有権者の感情に訴えたからです。この点に関して、ユヴァル・ノア・ハラリが近著の『21 Lessons』において興味深い指摘をしています。

国民投票や選挙は、人間の合理性にまつわるものではなく、つねに感情にまつわるものだ。もし民主主義が合理的な意思決定に尽きるのなら、すべての人に同じ投票権を与える理由は断じてない。いや、投票権そのものを与える理由すらないかもしれない。他の人よりもはるかに博識で合理的な人がいることを示す証拠はたっぷりある。特定の経済問題や政治問題に関するときは、間違いなくそうだ。

　ブレグジットの投票の後、著名な生物学者のリチャード・ドーキンスは、自分も含め、英国の国民に投票で意見を問うべきではなかったと、不満の意を表した。なぜなら一般大衆は、判断に必要とされる経済学と政治学の予備知識を欠いていたからだ。「アインシュタインが代数学的な処理をきちんとこなしていたかどうかを全国的な投票を行なって決めたり、パイロットがどの滑走路に着陸するかを乗客に投票させたりするようなものだ」（ハラリ『21 Lessons』柴田裕之訳、七一頁）

ジョンソン首相は国民の感情を刺激し、「パイロットがどの滑走路に着陸するかを乗客に投票させたりするような」手法を取ったので、政治的に勝利しました。このような感情に訴える政治が、ナショナリズムや排外主義を加速させる危うさがあるのは間違いありません。

しかし、そこに新型コロナウイルスが入ってきたことで、EU離脱をめぐる英国国内の分断は弱まった可能性があります。結果的に見れば、英国はコロナの感染拡大に先んじて、自国をEUから隔離した格好になったからです。

海洋国家への回帰

では、ブレグジット後の英国は、どのような外交をおこなっていくのでしょうか。

拙著『大国の掟』のなかで、新・帝国主義の時代には、英国のような海洋国家の優位性は失われていく可能性があることを指摘しました。

海洋国家は陸軍に主軸を置いていません。したがって地政学的には、小さな陸軍で自国の海岸線を守りながら、強力な海軍で海洋戦略を展開する必要があります。そして、そのためには、国内でナショナリズムのような大きな問題を抱えていないことが前提条件となります。

英国は、「グレートブリテン及び北部アイルランド連合王国」という正式な国名が示すように、民族国家ではありません。歴史的に、民族の形成に向かわせず、王に対する忠誠をもとに国家を成立させる「同君連合」というプレモダンなシステムを維持してきました。だからこそ、比較的小さい陸軍を保持するだけで国内を守ることができ、海洋に乗り出すことができたわけです。

しかし、現代の英国では、スコットランド独立問題に象徴されるように、ナショナリズムが噴出している。また、ＥＵに残るアイルランドとの間の国境管理問題も抱えています。その意味では、**陸に問題を抱えているため、海洋国家の利点を十全に生かせる要件を失っている**のです。

ただし、ＥＵという軛《くびき》がなくなったという点を見れば、海洋国家の本領であるグローバルなネットワーキングをしやすい条件も手にしています。したがって、**陸に問題を抱えな**

がらも、海洋国家の本領が試されるのがこれからの英国と言っていいでしょう。

こうした状況をふまえると、英国はまず過去の遺産を活用し、大英帝国時代に築いた旧植民地ネットワークとの経済的連携を強化する方向が強まっていきそうです。かつてのコモンウェルス（イギリス連邦）の見直しが始まると言ってもいいでしょう。

なかでもアフリカ諸国は、未開拓の市場や資源があり、英語も通じるという点で、彼らの目には非常に魅力のある地域として映っているはずです。

もちろんアフリカの権益を狙っているのは、中国もＥＵ諸国も同様でしょう。ブレグジットによって英国は、ＥＵ帝国の一員から独立した帝国へと姿を変えました。とすれば、一九世紀の帝国主義の時代にも似たようなアフリカ分割が、新しい列強国家によって再演されるかもしれません。

ＥＵの理念

一方、ブレグジット後のＥＵは、新型コロナウイルスへの対応を契機に、国民国家化を強めています。しかし、それがそのままＥＵを破壊するようなエネルギーに発展する見込みは薄い。いわば**ＥＵは、だらしない形で継続していく**でしょう。

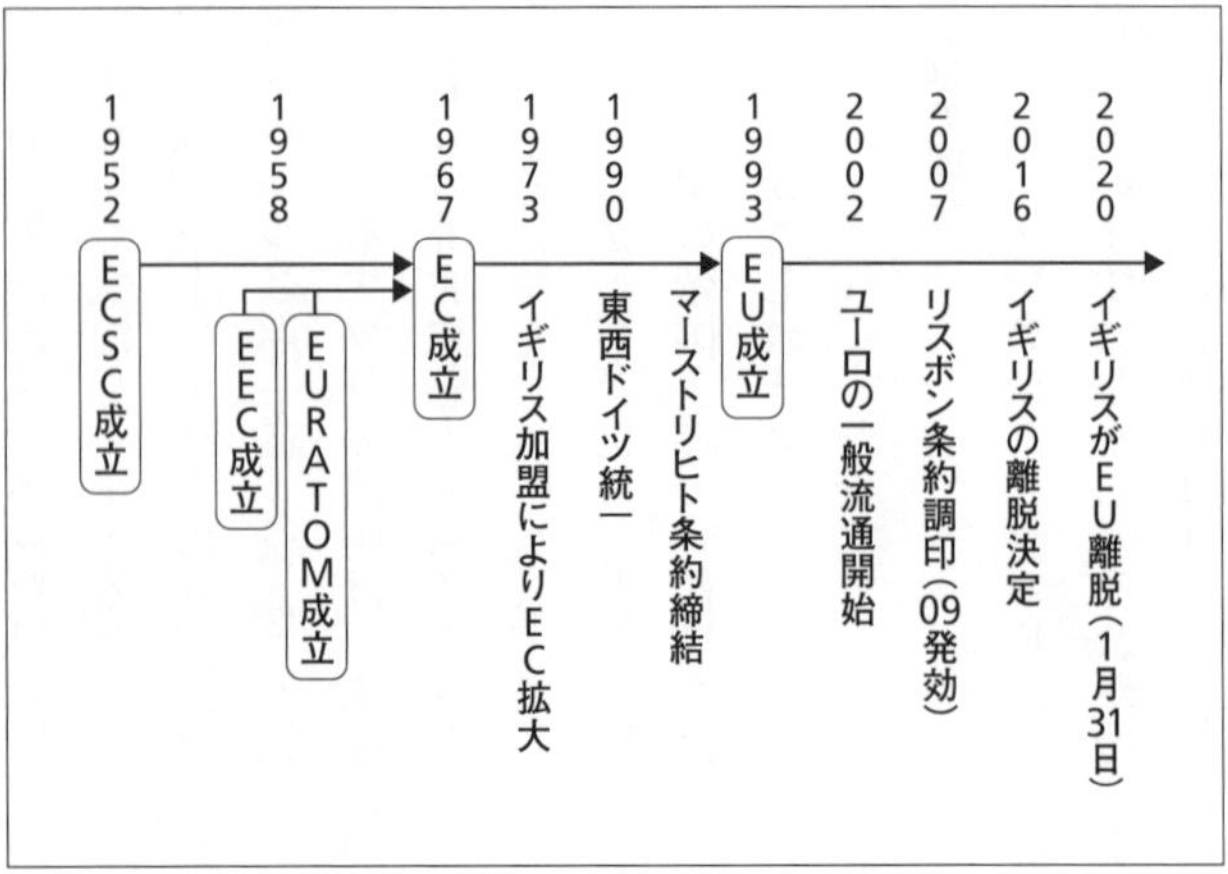

図3　EU成立への歩みとブレグジットまでのおもな出来事

その理由は、**現在のEUは本質において矛盾を抱え込んだシステムになっているから**です（図3）。EUの前身は、一九五二年に創設された欧州石炭鉄鋼共同体（ECSC）です。この組織は、フランスと西ドイツ（当時）の間で二度と戦争を起こさないという共通認識のもとに設立されました。

ECSCには、ドイツ、フランスのほか、イタリア、オランダ、ベルギー、ルクセンブルクが参加しました。一九五八年にはECSC加盟六か国が経済統合をめざす機関として欧州経済共同体（EEC）、原子力の共同開発を目的とする欧州原子力共同体（EURATOM）を設立します。この動きが、西ヨーロッパ全域の統合機運を高め、六七年、ECS

Ｃ、ＥＵＲＡＴＯＭそれぞれの運営機関を統合することに合意する条約がブリュッセルで調印され、欧州共同体（ＥＣ）が誕生しました。

さらに一九九二年には、ＥＵ創設を定めるマーストリヒト条約が調印され、単一通貨（後のユーロ）の使用が決まったのです。

この経緯からもわかるように、ＥＵ最大の目的は、**ナショナリズムの抑制**です。二度の世界大戦を経て、ヨーロッパはあまりにも大きすぎる犠牲者を出してしまった。第一次世界大戦で一六〇〇万人、第二次世界大戦で五五〇〇万人の死者が発生し、さらにスターリン体制の下で殺害されたり、餓死させられたりした約二〇〇〇万人を加えると、一九一四年から一九四五年までの三一年間に九一〇〇万人が死んでいる。

したがって、ＥＵとは「二度と戦争だけはしたくない」という理念に貫かれた、**独仏同盟を中心とする西ヨーロッパの帝国**と考えなければいけません。

「拡大マルク」の席巻

しかし同時に、ＥＵにはもう一つの顔があります。それは**「ドイツ第四帝国」**という顔です。

イギリスの歴史家エリック・ホブズボームは、二〇世紀を「ドイツの世紀」として捉えました。二〇世紀に入り、ドイツをどうやって取り込むかという問題に直面した世界は、二度の世界大戦を経て、どうにか軟着陸に至った。これが二〇世紀を論じる際の最大のテーマであり、二〇世紀とはドイツに翻弄された時代だったということです。

後発資本主義国であるドイツは、一九世紀後半に帝国主義の時代に入ると、重化学工業の産業化に成功し、イギリスを超える工業国となりました。そして一八八八年にヴィルヘルム二世が皇帝になると、海軍の大増強をはかり、イギリスとの「建艦競争」を展開します。

イギリスとの軍拡競争の末に、第一次世界大戦に突入したドイツは結局敗戦し、一三二〇億金マルクという多額の賠償金を課されました。第一次世界大戦後の戦間期にナチスが登場し、第二次世界大戦に突入しますが、ここでも再び敗戦しました。

そして冷戦期の東西ドイツを経て、一九八九年にベルリンの壁が崩壊し、九〇年一〇月にドイツは統一されます。それからわずか一年半たらずの一九九二年二月に、ＥＵ創設を定めたマーストリヒト条約を調印しました。そしていま、ドイツはＥＵの実質的なリーダーとなっています。

帝国主義下のドイツ、ナチス・ドイツ、そしてEUには、**いずれも東方への拡大をベクトルとして持っている**という共通点があります。それこそEUが「ドイツ第四帝国」と評されるゆえんです。

ドイツを野放しにしないために創設されたEUも、その経済面を見るかぎり、結局、「ユーロ」という名の拡大マルクが席巻しています。そしてユーロ危機以降、**経済的にはドイツだけが一人勝ちする状況が続いています。**そのEUが東方へと拡大しつづけている。

かつて、アドルフ・ヒトラーは第二次世界大戦のとき、「軍事力＋人種理論」で東方拡大を実現しようとしました。対して、現在の統一ドイツは経済力によって東欧を影響圏に組み込んだわけです。

これはたとえ話ですが、いま私たちがミュンヘンの高級ビアレストランに行くとします。そこでシュニッツェル（カツレツ）を食べることに決めた。その店のオーナーはもちろんドイツ人です。ウェイトレスは、たぶんチェコ人かハンガリー人。注文したシュニッツェルの豚肉はハンガリーから来ます。

そこでハンガリーに行くと、ハンガリーの豚小屋ではウクライナ人の労働者が働いていて、そこで飼われている豚が食べている飼料はウクライナ産です。

かつてナチスはアーリア人種を指導的民族とし、それを維持する民族としてチェコ人やハンガリー人、奴隷としてスラブ人を位置づけましたが、この三段階がこのレストランにて具現化されていることになります。

前述したとおり、ドイツはこうしたヒエラルキーを、ユーロという名前の拡大マルクの力によって実現しているのです。

ここまで見てきたように、現在のＥＵは、**ナショナリズムの抑制という理念と、ドイツの経済ナショナリズムという現実のシステムとの齟齬《そご》が露呈している状況**が続いています。

しかしＥＵ諸国には、「ドイツをフリーハンドにしたくない」という本能的な防御意識がつねに働いている。一方のドイツも、ＥＵから受けている経済的利益を手放すだけのインセンティブはありません。

理念と現実が矛盾を呈しながらも、壊すには代償が大きすぎる。筆者が「ＥＵはだらしなく続いていく」と考えるゆえんです。

感染拡大がもたらした深刻な揺らぎ

「だらしなく続いていく」と書きましたが、実はＥＵの理念は新型コロナウイルスによって、さらに大きく揺らぎました。

元モサド幹部は、序章でも紹介したとおり、新型コロナウイルスの感染拡大が、国際政治のパラダイム転換を引き起こすのではないかと述べています。

彼が例に挙げたのは、二〇二〇年七月現在、感染者が二四万三〇〇〇人以上、死者が三万五〇〇〇人弱となったイタリアです。感染拡大の初期、イタリアと国境を接するスイス、オーストリア、スロベニア、フランスは比較的余裕があったにもかかわらず、スイスを除いてイタリアを支援しようとしなかった。ＥＵの理念に忠実ならば、これらの国々はイタリアに手を差し伸べ、患者を自国内に受け入れなければならなかったはずです。しかし、隣国は国境を閉ざしてしまった。

ブレグジットや感染拡大によって、ＥＵはさらに深刻な矛盾や揺らぎを抱えてしまいました。

4　ロシアと中国――露骨な国益の主張

ウイルスをめぐるアメリカとロシアの国民性の違い

自由民主主義を標榜《ひょうぼう》する欧米が総じて新型コロナウイルスの対処に手を焼いているのに対して、強権的な統治をおこなっているロシアや中国はどうでしょうか。

まずはロシアから。手始めに、新型コロナウイルスをめぐる、アメリカとロシアの国民性の違いを見ておきましょう。

アメリカは、国民が日常的にカタストロフィを題材にした映画や小説になじんでいることもあって、未知のものに直面すると過剰な反応を示します。象徴的な例として、古くは一九七〇年代に映画化された、マイクル・クライトンのSF小説『アンドロメダ病原体』がある。これは、宇宙からやってきた謎の病原体によって人類が侵食されるという筋書きでした。近年だと、ダン・ブラウンの小説『インフェルノ』（二〇一三年）が感染症を主題にしている。アメリカ社会には、こういう刷り込みがあるのです。

しかも、アメリカ人はヨーロッパ人と異なり、終末を強く信じているところがある。本来なら一九九九年にやってくるはずだった「大世紀末」が、二〇年ほど遅れてやってきたという感覚かもしれません。

ではロシアは、というと対照的に、新型コロナウイルスを冷静に受け止めています。ロシアではかつて、ナチス・ドイツと戦った「大祖国戦争」（第二次世界大戦のロシアでの呼称）で三〇〇〇万もの人命が失われました。レニングラード攻防戦のときには、食糧が欠乏し、多くの人たちが飢餓状態に陥った。ソ連崩壊のときもたいへんな混乱状態だった。そのため、ロシアの人たちはいつ危機的状況が訪れてもいいように、食糧を備蓄するなど準備怠《おこた》りない。

新型コロナウイルスの感染拡大にしても、「あのときに比べれば、たいしたことはない」というのが、ロシア人の標準的な感覚なのです。

プーチン大統領の支持率が低下した理由

そんなロシアでは現在、プーチン大統領の支持率が低下しています。新聞記事で確認しておきましょう。

> ロシアの独立系調査機関レバダ・センターの世論調査によると、新型コロナウイルスの感染が拡大する中、プーチン大統領の支持率が20年超ぶりの低水準に落ち込んでいる。ただ、任期延長への支持率は上昇している。
> 調査によると、４月の大統領支持率は59％。３月の63％から低下し、プーチン氏が首相だった１９９９年９月（53％）以来の低水準となった。
> 一方、任期を２０３６年まで延長する憲法改正案への支持率は47％で、３月の40％から上昇した。
> 改憲の是非を問う国民投票は４月に予定されていたが、新型コロナ感染拡大を受けて延期され、年内に行われる見通し。
> 大統領支持率は西側の基準ではきわめて高く、失脚の兆候は見られない。（「朝日新聞デジタル」二〇二〇年五月七日）

ここには興味深い逆説を看取《かんしゅ》することができます。それは、**プーチン大統領の政策が成功したがゆえに支持率は低下した**、という逆説です。

彼の政策のポイントは、**ロシアに中産階級を作り出すこと**にあります。九〇年代、ソ連崩壊に伴って、急激なインフレが起きました。国有財産の民営化が進められる過程で貧富の差が極度に拡大し、社会が大混乱に陥った。この混乱から脱却するには、分厚い中産階級を形成する必要がありました。プーチン大統領はその政策を推し進め、中産階級の形成に成功した結果、人気を失ったのです。

なぜならば、中産階級とは本質的に非政治的な存在だからです。これは代議制民主主義の根幹にかかわる話で、この制度下では、市民が政治家を投票によって選出します。すると、政治は職業政治家によっておこなわれ、市民は政治に関して何をするかというと、何もしません。代わりに、「個の欲望」を追求するようになる。ヘーゲルやマルクスが市民社会を「欲望の王国」と呼んだのがこれに当たります。経済が順調である限り、市民は政治に無関心なのです。

ところが二〇一四年に、プーチンがウクライナ南部のクリミア半島を併合したことで、欧米諸国はロシアに対する経済制裁をおこない、ロシア経済は打撃を受けました。さらに今回の新型コロナウイルスへの対処でも、感染者数の増大とそれに伴うロックダウン、石油価格の下落によって、人びとの生活に大きな支障が生じています。そのために中産階級の生活水準が低下し、プーチンに対する不満が高まっているわけです。

しかし、プーチン以外に受け皿になる人物が見当たらないし、プーチン以外の人間が政治の舵取りをしても大混乱が起きることがわかっている。だから、プーチンに不満を持っている市民も、混乱よりはプーチン政権が続くほうがマシだと思っている。このあたり、現下日本の状況とアナロジカルに見ることも可能でしょう。そのため、当座のプーチンへの支持率は低下しても、大統領の任期を延期する憲法改正案に対する支持率は高まっているのです。

なぜ「第二次世界大戦終結の日」が変更されたのか

コロナ禍のなかで、今後の北方領土問題に影響を与えるかもしれない大きなニュースがあったことをご存知でしょうか。

それは、二〇二〇年四月二四日に、プーチン大統領が「軍の栄誉をたたえる法律」の改正法案に署名したことです。この改正法案によって、**「第二次世界大戦終結の日」がこれまでの九月二日から、一日遅れの三日になりました。**

ロシア政府が事実上運営するウェブサイト「スプートニク」は、この法案採択に関して、四月一四日のロシア国家院（下院）での出来事を次のように報道しました。

> ロシア下院は第2次世界大戦の終戦日を変更する法案を承認した。ロシアではこの日は軍の栄誉を称える日とされ、ロシア軍が歴史上重要な勝利を収めた記念となる日の1つとなっている。
>
> これまで第2次世界大戦の終戦日は、日本が無条件降伏文書に調印した9月2日とされていた。しかし、今後はこの日は9月3日に変更される。
>
> 法案の考案者によれば、１９４５年9月3日は旧ソ連では対日戦勝記念日として祝日とされていた。しかし、１９４７年にはすでにこの日は通常の労働日となり、時間とともに祝日であったことが忘れられていった。（「スプートニク」日本語版、二〇二〇年四月一四日）

この日付の変更にはどのような意味があるのでしょうか。

多くの日本人は、一九四五年八月一五日に太平洋戦争が終結したと考えています。しかし、国際法的にはその認識は成り立ちません。日本が連合国に、ポツダム宣言を受諾し降伏することを伝達したのは、前日の一四日です。したがって一五日正午にポツダム宣言受諾の意向を表明する天皇の録音をラジオで放送したことは、前日の事実を国民に伝達する国内的意味しか持ちません。国際法的に第二次世界大戦が終結したのは、日本政府代表団が東京湾の米戦艦ミズーリ号の上で降伏調印をした四五年九月二日なのです。

しかし当時のソ連の指導者だったスターリンは、この日ではなく翌日を「軍国主義日本に対する勝利の日」としました。これは、戦勝国であるソ連が恣意的に戦争終結の日を決めることができるという意思表示です。今回の改正では、名称こそ「第二次世界大戦終結の日」にとどまっていますが、**認識がスターリン時代に逆戻りしていることが重要です。**

四五年九月二日、スターリンはソ連国民に向けて、次のようなラジオ演説をおこないました。

> １９０４年の日露戦争でのロシア軍隊の敗北は国民の意識に重苦しい思い出をのこした。この敗北はわが国に汚点を印した。わが国民は、日本が粉砕され、汚点が一掃される日がくることを信じ、そして待っていた。40年間、われわれ古い世代のものはこの日を待っていた。そして、ここにその日はおとずれた。きょう、日本は敗北を認め、無条件降伏文書に署名した。

このことは、南樺太と千島列島がソ連邦にうつり、そして今後はこれがソ連邦を大洋から切りはなす手段、わが極東にたいする日本の攻撃基地としてではなくて、わがソ連邦を大洋と直接にむすびつける手段、日本の侵略からわが国を防衛する基地として役だつようになるということを意味している。（外務省『われらの北方領土　2019年版　資料編』、一二頁）

ソ連は当時有効だった日ソ中立条約を破棄し、四五年八月九日に、日本に対して戦争を開始しました。国際法的に見れば、日本は侵略された側です。この国際法違反を、一九〇四〜〇五年の日露戦争に対する報復としてスターリンは正当化したのです。

じつはソ連崩壊後、ロシアは九月三日の「軍国主義日本に対する勝利の日」を軍の祝日から外しました。これは、スターリン主義から決別するという国家意思を示したかったからです。九月二日ならば、第二次世界大戦が終結したという史実に基づく客観的な記念日になる。それに対して、一日遅れの三日だとスターリンの歴史認識を追認するという意味になるわけです。

北方領土交渉への影響

こういう象徴的変化が、北方領土の交渉に影響を与えます。そしてこれもまた、露骨な国益を主張し合う新・帝国主義時代の特徴を示す出来事なのです。

この一件に対して、日本政府も迅速に反応しました。

ロシア政府が延期した対独戦勝75周年記念式典について、ソ連時代に「対日戦勝記念日」だった9月3日に開催する案が浮上している。北方領土をめぐる主張を正当化する狙いもあるとみられ、日本政府は9月3日の開催なら、安倍晋三首相は出席できないとロシア側に伝達した。政府関係者が明らかにした。（「朝日新聞」二〇二〇年四月二八日）

今後、懸念されるのは北方四島でのビザなし交流が無期限中止になる可能性です。新型コロナウイルス対策で、北方領土に入域する際にロシアが検疫を求めてくる可能性もあります。「北方領土は日本領なので検疫を受けるとロシアの不法占拠を認めることになる」という原則論を日本が取ると、ビザなし交流は終わる。ロシアの検疫を受けても日本の法的立場を毀損しない枠組みを、早急につくるべきでしょう。

「国家安全法制」の導入

中国の現状に話を移しましょう。

中国では、二〇二〇年五月二八日に開かれた全人代（全国人民代表大会）で、香港への「国家安全法制」導入が決まり、六月三〇日に同法が可決され成立しました。これは、国家安全に関する機関を香港に設置して、直接取り締まれるようにするというものです。**この国家安全法制の導入によって、一国二制度と呼ばれる香港の自治が損なわれることを危惧する声も強く出ています。**

ここで歴史的な経緯を確認しておきましょう。

一八四〇年から四二年にかけて、清とイギリスの間にアヘン戦争が起こりました。終戦後の顛末《てんまつ》を教科書では次のように説明しています。

> アヘン戦争で、清《シン》はすぐれた兵器をもつイギリス海軍に連敗し、１８４２年に南京《ナンキン》条約を結び、香港島《ホンコンとう》の割譲《かつじょう》、上海《シャンハイ》・寧波《ニンポー》・福州《ふくしゅう》・厦門《アモイ》・広州《こうしゅう》の５港の開港、公行《こうこう》［引

用者注：清代に広東の外国貿易を独占していた特許商人またはその団体」の廃止、賠償金《ばいしょうきん》の支払いなどを認めた。さらに翌43年、領事《りょうじ》裁判権（治外法権）、協定関税制（関税自主権の喪失《そうしつ》）、最恵国待遇《さいけいこくたいぐう》などを認める不平等条約を結んだ。また44年にアメリカ合衆国と望厦《ぼうか》条約を、フランスと黄埔《こうほ》条約を結び、イギリスと同様の権利を認めた。（『詳説 世界史』、二九六頁）

さらに一八五六年から始まるアロー戦争に敗れた清は、六〇年に北京条約を結び、「外国公使の北京駐在、天津など11港の開港、外国人の中国内地での旅行の自由、キリスト教布《ふ》教《きょう》の自由などを認め、イギリスに九竜《きゅうりゅう》半島南部を割譲した」（前掲書、二九七頁）。

このように、南京条約で香港島が、北京条約では香港島の対岸にある九龍《クーロン》市がイギリス領となりました。そして、一八九八年に九龍市の後背地である九龍半島全域と付近の島嶼《とうしょ》部は、期限九九年でイギリスの租借地となったのです。

イギリス支配下にある香港では、経済活動の自由や言論の自由が保障されていました。そして八〇年代前半の返還交渉を経て、一九九七年に香港は中国に返還され「特別行政区」とされた。その際に導入されたのが「**一国二制度**」であり、香港は資本主義とともに高度な自治を認められたのです。

一国二制度のゆくえ

しかし近年になって、次第に中国の圧力が強まっていきました。それを象徴するのが、二〇一九年に議会に提出された**「逃亡犯条例改正案」**であり、今回の安全法制の成立です。

逃亡犯条例改正案とは、香港が「犯罪人引き渡し協定」を締結していない国・地域に対して、容疑者の引き渡しができるようにするものです。こう聞くと、問題がないように思えますが、改正案ではそこに中国が含まれていました。

もしこの改正案が成立するとどうなるか。たとえば香港で、共産党批判をした人物が、中国の要請によって犯罪者とされ、中国に引き渡される可能性も否定できません。これは、香港の人びとにとって言論の自由を失うことを意味します。

そこで大規模な反政府デモが起こり、香港政府は逃亡犯条例改正案を正式に撤回するに至りました。

おそらく香港でのデモに業を煮やす中国政府としては、早期に香港への締め付けを強化する必要性を感じていたはずです。そこに新型コロナウイルスが世界に拡散して、どの国も内政や自国経済に関心が集中するようになった。**この時期なら、国家安全法制を成立させても、国際非難は少ないと考えたわけです。**

同時に中国政府が、感染症を早期に封じ込めたことも、法案の採択を後押ししました。行政権力の強化によって感染症の封じ込めが期待できるとなれば、多くの人が受け入れるだろうという見込みが働くからです。

ただし、国家安全法制が成立したからといって、一国二制度がすぐに廃止されることはないでしょう。というのも、報道にはなかなか出てこない話ですが、中国共産党幹部や軍の幹部の蓄財拠点として、香港が活用されているからです。

たとえば親族に便宜を図ってビジネスをして、その利益を香港に置いておく。そしてそこから外国に留学している子どもに送金するという例も珍しくありません。いわば**香港は、中国のエリート層の裏の金庫になっている**わけです。

そのときに、もし一国二制度を完全に廃止して、中国とフラットになったら、裏の金庫を維持できなくなってしまいます。それを考えると、とりわけ経済面では、一国二制度は維持されていくでしょう。ただし政治面では、共産党政権を脅かす活動の取り締まりは強化する。それが中国の本音です。

米中対立は激化する

この香港問題に対して、トランプ大統領は強い非難の姿勢を示しました。しかし、これもあくまで大統領選をにらんだパフォーマンスと捉えるべきでしょう。

トランプ大統領は、中国が新型コロナウイルスの感染を意図的に拡大させたという言説を振りまいています。その結果、トランプ支持者を中心に同様の受け止め方をするアメリカ人が少なくありません。そういった嫌中感情に訴えるうえで、香港問題に対する中国批判は有効だと踏んだわけです。

ただし、これをトランプ大統領だけの問題に還元してしまうと、問題の本質を見誤ってしまいます。

アメリカでは一九世紀末から、黄色人種は白人にとって危険な存在であるという**「黄禍《おうか》論」**が出てきました。その結果、中国人排斥《はいせき》に続いて日本人排斥も起きた。

すでにコロナ以前にも、中国のベクトルが太平洋を向いたことで、米中の摩擦が高まり、黄禍論がくすぶる予兆がありました。

本章の冒頭で述べたとおり、新・帝国主義的な対立は、共産主義と資本主義というイデオロギーをめぐる対立ではなく、露骨な国益の衝突です。しかし、イデオロギーの時代が終わると、人種偏見のようなものが頭をもたげてきます。表向きは存在しないことになっていますが、いまのトランプ政権にも人種的偏見があるのは明らかです。

とすれば、コロナや香港問題によって、**黄禍論がいっそう高まる危険性はあります。**そういった排外的な世論が形成されれば、米中対立はさらに悪化していくことになるでしょう。

5　日本——行政権拡大の背景に何があるのか

薬事承認に介入する行政権力

欧米も含め、多くの国がロックダウンを実施し、外出禁止や営業禁止などの強制措置を取るなかで、特異な対応をとった国があります。それが日本です。

その結果、新型コロナウイルスの感染拡大と併行して、日本の国家と社会に大きな変化が生じました。

ここでは筆者が注目した事実に即して、日本に起きつつある変化を考察してみたいと思います。最初に挙げるのは、新型インフルエンザ治療薬「アビガン」（一般名ファビピラビル）の薬事承認に対する安倍晋三首相の発言です。新聞記事では次のように報道されています。

> 安倍晋三首相は28日、首相官邸で記者会見し、新型コロナウイルスに感染した患者に対し、臨床研究（観察研究）として使い始めている新型インフルエンザ治療薬「アビガン」（一般名ファビピラビル）について、薬事承認を目指す考えを示した。「正式に承認するに当たって必要となる治験プロセスも開始する考えだ」と述べた。
>
> アビガンは新型インフルエンザ治療薬として備蓄されているが、中国で新型コロナウイルスの治療効果が確認されたとの報告が出ている。安倍首相は「世界の多くの国から関心が寄せられている」として、薬の量産を開始するとした。
>
> ただ、アビガンについては妊婦が服用すると胎児に副作用が出るおそれが指摘され、新型インフルエンザ薬としても従来の治療薬では効果がないか不十分なときに限って使用が認められている。

また、膵炎《すいえん》の治療薬「フサン」（一般名ナファモスタットメシル酸塩）についても、観察研究として、新型コロナウイルスに感染した患者に対し、事前に同意を得たうえで使い始める考えも表明した。（「朝日新聞デジタル」二〇二〇年三月二九日）

安倍首相は、医療や製薬の専門家ではありません。治療薬として認められるためには、徹底した動物実験の後、人による治験がおこなわれ、そのうえで承認されるのが通常です。そして、これは本来、高度な専門家の管轄で、政治が介入する問題ではありません。

新型コロナウイルスによる肺炎に対する治療薬がない状況では、政治主導で薬の承認過程を短縮することに異論を唱える国民は少ないでしょう。しかし、**その背景に行政権の拡大があることを忘れるべきではありません。**

「順応の気構え」が行政権の拡大を生む

薬事承認は本来「高度な専門家の管轄」であると記しましたが、首相の発言の背景に専門家の判断が働いていることは間違いありません。問題は、**その過程が国民にとってブラックボックスになっているということです。**どのような専門家がどのような根拠で判断を下したのかがわからない。どのようなデータに基づきどのようなシミュレーションで判断がなされたのかがわからない。これは、査読《さどく》なしの論文を読まされるのと同じ状況でしょう。

東京都では毎日、感染者数が発表され、その数字にみな一喜一憂していますが、これはいわば「分子」だけを見せられている状態です。何人検査したという分母が明らかにならなければ、意味がない。これも肝心なところがブラックボックスになっているわけです。

これは「俺の言うことを信じろ」という、一種のパターナリズム（父権主義）です。かつてハーバーマスは『後期資本主義における正統化の諸問題』という著作で、**「順応の気構え」**という状況を指摘しました（岩波文庫の新訳では、「従おうとする風潮」〔八二頁〕という訳語が充《あ》てられていますが、旧訳の「順応の気構え」のほうが座りが良いため、本書ではこちらを採用します）。

なぜ人びとは十分に教育を受け、理性的な判断をする下地ができているにもかかわらず、為政者の暴走を許してしまうのか。ハーバーマスによれば、「たとえ理解できないことがあっても、誰かが調べて分かりやすく説明してくれるだろう」というような「順応の気構え」が生じてしまい、積極的に自ら物事を検証するという発想が希薄になり、その結果、政治の暴走が許容されてしまう。現下日本ではこれもまた、行政権拡大の背景をなしているのです。

日本が「自粛」を要請する理由

こうした事実が積み重なっていくことで、行政府の権力は確実に強化されていきます。ただし先述したように、日本ではどの自治体もロックダウンのような強制措置は取らず、移動や営業に関して「自粛」を求めるに留まっています。

新型コロナウイルスの感染拡大を防ぐためには、人びとが移動を差し控えることが効果的であるというのが、公衆衛生専門家の間での共通見解です。その意味で、知事たちの自粛要請には科学的根拠があります。

しかし、日本政府も都道府県も、法律や条令によって行動を規制しないのはなぜでしょうか。

憲法第二二条では、「何人《なんぴと》も、公共の福祉に反しない限り、居住、移転及び職業選択の自由を有する」と定められています。「何人も」ということは、日本国民だけでなく、外国人、無国籍者も含まれます。移動（移転）の自由は、あらゆる人が本来的に持つ基本的人権の一つです。それを制限する唯一の例外が公共の福祉に関連する場合です。

実際、新型コロナウイルスに感染した疑いのある人を一定期間隔離したり、特定の国からの入国を規制したりすることは、公共の福祉の論理によって正当化されます。だとすれば、法律や条例で人の移動を規制することも理論的には可能なはずです。しかし、政府も都道府県もなぜそれをしないのでしょうか。

理由は二つあります。

第一は、そのような法律や条令は憲法違反であるという訴訟を起こされた場合、裁判所が違憲という判断をする可能性があるからです。裁判所で合憲とされても、訴訟が起こされればそれに対応するエネルギーが膨大になる。行政官はこの種の仕事を嫌うのです。

第二は、序章でも述べたとおり、法律や条令が存在しなくても、国や都道府県が自粛を呼びかければ、法律や条令に相当する効果がこの国ではあるからです。すなわち、**行政府が国民の同調圧力を利用する**ということです。

日本独自の文化拘束性

国民の同調圧力が利用されるのは、基本的に**翼賛**《よくさん》と同じ発想です。翼賛の本来の意味は、「力を添えて助けること。天子《てんし》の政治を補佐すること」（『デジタル大辞泉』小学館）。翼賛は強制されません。人びとが自発的に天子を支持し、行動することが期待されるのです。

戦前戦中の「大政翼賛会」という言葉が示すように、当時も強制ではないという建前で、人びとは自発的に最高権力者を支持し、行動することが期待されていました。その一方、期待に応えない者は「非国民」として社会から排除された。

これは自粛に従わない人や店に嫌がらせをする「自粛警察」とまったく同じメカニズムです。行政権力は、翼賛とは言えません。だから「自粛」という言葉を使って、相互監視メカニズムを作動させた。**危機になると、同調圧力や相互監視メカニズムのような、日本の国民的特質の地金が出てくる**のです。

「国民的特質」と言いましたが、これは日本に特有の一種の文化拘束性と言ってもいいでしょう。一九三〇年代から四〇年代にかけては「翼賛」が強調されましたが、二〇一一年の東日本大震災の後は、「絆《きずな》」という言葉によってボランティアなどの自発的行動が鼓舞《こぶ》されました。そして今回の「自粛」です。言葉こそ異なれ、危機に際してこの国はだいたい同じような行動様式になってしまうのです。

ただし注意したいのは、同調圧力そのものではなく、**それを行政が利用しようとしている点**です。同調圧力によって、立法措置と同様の効果が見込めると為政者たちが判断した点です。

このように、新型コロナウイルス対策の過程で、無意識のうちに翼賛という手法が強まっています。その過程で、先の薬事承認と同様、無意識のうちに行政府が司法府と立法府に対して優位になる可能性がある。それは**国家による国民の監視と統制の強化に直結するのです。**

6 情報資本主義の未来——「GAFA vs. 国家」のゆくえ

情報技術を使って管理体制が強化される

現代の新・帝国主義を考察するうえで、各国の動向とともに、もう一つ重要なファクターがあります。それはテクノロジー、情報技術です。

とりわけ近年、ＧＡＦＡ（グーグル、アップル、フェイスブック、アマゾン）、ＢＡＴＨ（バイドゥ、アリババ、テンセント、ファーウェイ）という米中巨大プラットフォーム企業の存在感が飛躍的に増してきました。コロナ禍が全世界を覆うなかでも、その状況は変わっていません。これら巨大プラットフォーム企業が独占する情報技術は、ポスト・コロナの世界をどう変えていくのか。

直近の状況を見てみましょう。

中国や韓国、台湾、シンガポール、イスラエルでは、早い段階でスマートフォンを通じて、感染者とその接触者を監視する措置をとりはじめました。

たとえば、イスラエル政府は二〇二〇年三月一五日に、新型コロナウイルスの感染者の動向を知るため、カウンターインテリジェンス（防諜《ぼうちょう》）機関「シンベト」（別称、シャバック）が市民の携帯電話の位置情報にアクセスすることを可能とする措置を閣議で了承しました。

朝日新聞は次のように報道しています。

> ネタニヤフ首相は14日、記者会見で「テロ対策で用いてきたデジタル技術を使用する」と表明。「従来は市民への使用を控えてきたが、（ウイルスとの）戦争において他に選択肢はない。人々のプライバシーを一定程度、侵害することになる」と理解を求めた。政府の要請を受け、司法省もこの措置を了承した。
>
> 地元紙ハアレツによると、治安機関は検査で陽性だった患者の携帯電話の位置情報

にアクセスし、過去14日間に接触した可能性のある市民を特定して自宅隔離を求めるメッセージを送るという。（「朝日新聞」二〇二〇年三月一七日）

テロ対策の観点から、国民の携帯電話やPCなどインターネットとつながる機材をすべて監視できるシステムをイスラエルは構築していますが、それを政府が感染症対策で用いるのは初めてのことです。

序章でも紹介した、モサドの元幹部との電話で、筆者はこんなやりとりをしました。

――一五日にイスラエルはスマートフォンを通じて感染者とその接触者を監視する措置を取り始めたが、反発はどれくらい強いか。

「反発しているのは一部の知識人だけで、一般の国民の間で政府の強硬措置に対する不満はほとんどない。ナチス・ドイツがユダヤ人をゲットー（ユダヤ人居住地区）に閉じ込めていたが、そのときさまざまな感染症で多くのユダヤ人が死んだ。そういう歴史の記憶が国民の間で共有されているので、感染症対策については、スマートフォンの位置情報を利用して個人の動きを国家がつかむなど戦争やテロと同レベルの強権措置を政府がとるのはやむをえないというのが大多数の国民の認識だ」

イスラエルでは、マスメディアや有識者、ＮＰＯ（民間の非営利組織）が国家権力を厳しく監視する文化が根付いている。したがって、市民の携帯電話を用いた監視が新型コロナウイルス対策以外に用いられる可能性はまずありません。欧米諸国でも同様でしょう。

しかし、それでも政府の監視能力が強化されることは間違いありません。新型コロナウイルスの感染が拡大する過程で、**各国において国家機能が拡大し、民主主義的統制に服さなくなる危険性**は高まっています。

ＧＡＦＡとロックフェラーの共通点

ではその場合、現代の情報資本主義の象徴として語られるＧＡＦＡは、行政権力を肥大化させていく国家とどのような関係を結ぶのでしょうか。

国家とＧＡＦＡには決定的な違いがある。それは**暴力装置の有無**です。警察や軍隊など、暴力に裏打ちされた組織を国家は独占しています。暴力装置をともなう国家は、いざとなれば企業を抑え込むことができる。しかしその逆は無理でしょう。

そのことはＧＡＦＡのような巨大プラットフォーム企業も理解しているので、国家と真っ向から対立する選択肢をとるメリットはありません。むしろ今回のコロナ対応では、グーグルとアップルが共同で感染追跡アプリを開発し、それを多くの国々が導入していることからもわかるように、ＧＡＦＡと国家は協力的な関係を築いているのです。

さらに近年のＧＡＦＡは、社会課題に対して積極的に貢献するアピールを強く発している。たとえばグーグルはAI for Social Good（社会に役立つＡＩ）を掲げています。またＧＡＦＡの経営者たちはチャリティにも熱心です。

ロックフェラー家の三代目当主であるデイヴィッド・ロックフェラー（ロックフェラー三世）は、著書『ロックフェラー回顧録』のなかで、祖父であるジョン・ロックフェラーの言葉を綴《つづ》っています。それは、誰でも億万長者になることはできるが、その富を三代維持するのは難しい。なぜなら、大衆のやっかみによって反発にあうか、国家権力に潰《つぶ》される。あるいは両方によって潰されるから、というものです。

では、三代目以降は富の維持のために何が必要なのか。ポイントは二つあるといいます。一つはチャリティをすること。大衆にお金を配れば、やっかまれずに済む。もう一つは国家の役に立つこと。お金は力になりますから、資産家は当然、国家に警戒される。そこで納税はもちろんのこと、ソ連やサウジアラビアなど、当時、アメリカの公的な外交ではリーチできない国々と民間外交をして国家に貢献する。

この二つの実践が、ロックフェラー家の家財を生き残らせるために重要だったわけです。言い換えれば、ロックフェラー三世は家訓によって、いかに巨万の富を得たとはいえ、国家や大衆を敵に回すことがどれだけ恐ろしいことかをしっかり理解していたというわけです。自分たちは一国家の予算を超える富を手に入れた。もはや国家を超えることも可能だ。——こういう夢想を持つと、たちまちにして暴力装置に裏打ちされた国家の力に潰されてしまうでしょう。

現在のＧＡＦＡもまた、この二点を実践することで事業を継続しようとしていることがわかります。したがって**GAFAの台頭は、新・帝国主義にとって本質的な脅威にはなりえません**。それどころか、コロナ対応での協力体制からもわかるように、補完的な関係を結ぶことがどちらにとっても利益になるのです。

その背景には、近年、多くの国で個人情報保護が法制化され、ＧＡＦＡに対抗する動きが強まってきていることも関係しているかもしれません。特にヨーロッパでは、二〇一八年から個人情報を保護するＧＤＰＲ（一般データ保護規則）の適用が始まり、反ＧＡＦＡのベクトルが強まっていました。その意味で、ＧＡＦＡにとって今回のコロナ禍は、国家との関係を好転させる機会になったと捉えることもできるでしょう。

モノ経済の復権

ユヴァル・ノア・ハラリは『ホモ・デウス』のなかで、二一世紀の新しいテクノロジーが、人間から権威を剝《は》ぎ取り、やがてはデータとアルゴリズムに権限を委《ゆだ》ねる**「データ至上主義」**に行き着くことに警鐘を鳴らしています。

遠くない将来、情報科学と遺伝子工学の融合は第二の「認知革命」を引き起こし、人類は人間ならざる「ホモ・デウス」に進化する。これがハラリの突きつける未来予測です。しかし、そこに到達できるのは一部の富める者だけです。つまり、ホモ・デウスに加えて、あいかわらずホモ・サピエンスのままの「無用者階級」という新たな階級が生み出される可能性をハラリは指摘している。

そこで同時に起こるのが、人間至上主義の消滅です。

ロックやヒュームやヴォルテールの時代に、人間至上主義者は「神は人間の想像力の

> 産物だ」と主張した。今度はデータ至上主義者に向かって同じようなことを言う。「そうです。神は人間の想像力の産物ですが、人間の想像力そのものは、生化学的なアルゴリズムの産物にすぎません」。一八世紀には、人間至上主義が世界観を神中心から人間中心に変えることで、神を主役から外した。二一世紀には、データ至上主義が世界観を人間中心からデータ中心に変えることで、人間を主役から外すかもしれない。（ハラリ『ホモ・デウス（下）』、二三六頁）

しかしここで忘れられているのは、具体的なモノの経済です。現代の列強が未開拓市場として注目しているアフリカには、多くの資源が眠っています。コロナ禍では、中国中心のグローバルなサプライチェーンに疑問符が突きつけられました。一時的な石油価格の急落と、今後のエネルギー需要の増加も、国家の経済にとって大きなファクターになりえます。

このように考えると、少なくとも中期的には、データ至上主義のようなシナリオよりも、具体的なモノ経済の復権のほうがリアリティがある。むしろ**データは、モノと結びつきながら活用されていくことになるでしょう。**

■ブックガイド4

エリック・ホブズボーム

『20世紀の歴史——両極端の時代（上下）』

大井由紀訳、ちくま学芸文庫、二〇一八年

ホブズボームは、第一次世界大戦と第二次世界大戦を二つの戦争と区別せず、二〇世紀の「三一年戦争」として捉えている。そしてこの三一年戦争が起こった原因として「ヨーロッパの帝国主義的な対立」を挙げ、その背景にイギリスの衰えとドイツの勢力拡大があったことを指摘している。そのアナロジーから、アメリカが衰退過程に入った現代は、再び帝国主義の時代に突入していることがわかるだろう。

ダン・ブラウン
『インフェルノ（上中下）』
越前敏弥訳、角川文庫、二〇一六年

『ダ・ヴィンチ・コード』で有名なダン・ブラウンによる、感染症を主題とした小説。「インフェルノ」とはイタリア語で地獄の意味だ。ダンテの『神曲』（地獄篇）が下敷きとなって展開する知的ゲーム性の高いストーリーと、イタリアやトルコでの詳細な取材に裏づけられた迫真性のある描写に思わず引き込まれる。敵と味方が何度も入れ替わるどんでん返しもじつに面白い。本作を味読するなら『神曲』との併読を勧めたい。

第4章　人類の選択

――「トッド・モデル」「ハラリ・モデル」から考える

本章では、ここまで得た歴史的知見と新・帝国主義のゆくえをめぐる考察をふまえて、人類が現下強いられている「選択」について、筆者の考えを述べたいと思います。

1　大国の戦略をタイポロジカルに見る

コロナ禍は「リスク以上、クライシス未満」

第1、2章では、アナロジカルな視点を重視して、感染症が歴史に及ぼした影響を概観しました。何度か繰り返したとおり、アナロジー的思考とは類似性に着目することをいいます。すなわち、ある状況を、別の時代・別の場所に生じた別の状況との類比に基づいて理解することです。

このアナロジー的思考に対して、**タイポロジー的思考**というものがあります。タイポロジーとは**「類型」**のこと。したがってタイポロジー的思考とは、**複数の状況を、典型的なタイプに分けて理解すること**をいいます。

筆者の見立てでは、新型コロナウイルスの感染に対して、第3章で見た世界各国が採った対応策を深く考察するうえでは、タイポロジー的思考のほうが有用です。というのは、危機への対応では各国の文化の地肌が現れやすくなるからです。

ここで重要なのは、今回の新型コロナウイルスによる危機は**どのような危機なのか**、ということです。

日本語だとあいまいになりますが、「危機」にはそもそも二つの種類があります。

第一は英語でいう**リスク**（risk）です。リスクとは、**予見可能な不都合な出来事**のこと。リスクに対しては、対策を立てることができる。たとえば、季節性インフルエンザはリスクです。予防接種、手洗いの励行などで感染リスクを減らすことができるし、万一、感染しても治療薬の抗ウイルス剤があります。

第二は英語でいう**クライシス**（crisis）です。これは、**予見が難しく、生き死にに直結するような危機**のことです。

クライシスは、古典ギリシア語の「クリシース」に由来する言葉で、クリシースは「決定」という意味です。そこから、良い方向に向かうか悪い方向に向かうかの決定的な分岐点、つまり「分かれ道」や「峠《とうげ》」を意味します。分かれ道ですから、間違った道を選ぶと目的地に着くことができません。たとえば、医者から「今夜が峠です」と言われた場合、峠を越えることができない患者は死んでしまう。したがって、クライシス・マネジメント（危機管理）の場合は、生き残るためには何をしてもいいという規範が全面化することになります。

では、新型コロナウイルスはリスクでしょうか、それともクライシスでしょうか。リスクの閾値《いきち》を超えていることは間違いありません。しかし、クライシスには至っていない。コロナ禍もいずれは去っていきます。そのときも人類は生き残るし、日本人も日本国家も存続することが確実だからです。

したがって、**リスク以上、クライシス未満の危機**にわれわれは直面しているわけです。ここにコロナ対応の難しさがある。リスク対応の平時のマニュアルでは対応できない一方、クライシスではないので、極端な措置をとることもできないからです。

リスク以上、クライシス未満の危機に対しては、それだけとりうる選択肢の振幅の度合いが大きくなる。このことが、各国の文化の地肌を余計に現れやすくさせているのです。

アメリカ、英国、イタリアの失敗

以上をふまえて、今回の新型コロナウイルスへの対応をタイポロジカルに考察してみましょう。

リスク以上、クライシス未満の危機に対して、スピーディに対応できず、政策に大きな揺れが出てしまったのが、アメリカ、英国、イタリアといった国々です。

中国の武漢で新型コロナウイルスの被害が深刻化していた二〇二〇年二月の記者会見で、アメリカのトランプ大統領は、「暖かくなる四月にはなくなると思う」と発言し、コロナの被害を軽視していました。いわば、新型コロナウイルスによる危機を「リスク」と捉えていたわけです。

ところが三月に入って感染拡大が明らかになると、態度を急変させます。朝日新聞の記事を引用しましょう。

> トランプ米大統領は17日の会見で、新型コロナウイルスの感染拡大について「パンデミックと呼ばれるずっと前から、私はこれがパンデミックであると感じていた」と述べた。これまでは「米国は制御できている」などと楽観的な発言が目立っていたが、米国内の状況が深刻化するなか、「脅威を過小評価してきた」との批判をかわす狙いがあるとみられる。

> これまでトランプ氏は「うつりやすいウイルスだが、我々は素晴らしく制御できている」（15日の会見）などと自信を見せていただけでなく、コロナ対応を巡る政権批判は民主党の「新たなでっち上げだ」（2月28日の集会）などと語っていた。ところが、3月16日の会見で一転して「世界のどこでもコントロールできていない」と、米国でも拡大を抑え込めていないことを認めた。（「朝日新聞デジタル」二〇二〇年三月一八日）

この段階でようやくトランプ大統領は、コロナ危機がリスク以上であることを認識しましたが、遅きに失《しっ》した感は否めません。トランプ大統領の態度の振幅は、そのまま政策の振幅となったために、民主的な統制も利かず、すでに顕在化していたアメリカ国内の分断や混乱を深めてしまったのです。

英国も当初は、集団免疫を獲得する戦略を打ち出していましたが、危機の大きさを認識して封鎖政策の導入に踏み切りました。イタリアの政治家も、すでに感染拡大が始まっていたにもかかわらず、経済の悪化を恐れたために、感染拡大地域以外は通常の生活を維持するように求めました。

これら三か国に共通するのは、**コロナの危機を予見可能なリスクと見積もってしまった**

ために、自由主義をそのまま続けようとした点です。その結果、政策が一八〇度転換するような事態に陥り、適切な対処の時機を失したために、コロナによる被害も拡大させてしまいました。

規律重視の国家群

アメリカ、英国、イタリアとは対照的に、「リスク以上、クライシス未満」の危機であることを適切に捉えて対応したのは、ドイツ、韓国、中国、台湾、イスラエルといった国々でしょう。

これらの国々は程度の差はあれ、規律を重視する文化が根底にあります。エマニュエル・トッドの分析によれば、ドイツは直系家族社会かつ長子相続であるため、権威主義的なイデオロギーが生まれやすい。また韓国や中国、台湾には、儒教的な秩序観念があり、天下が乱れることへの恐怖心が強い。イスラエルでは、第3章で述べたように、ゲットー（ユダヤ人居住地区）で多くのユダヤ人がさまざまな感染症の犠牲になった記憶が国民に共有されています。これが他国にはない、イスラエル独自の文脈と言えるでしょう。

ナチス・ドイツによってつくられたゲットーの衛生状態は劣悪でした。とりわけ、ポーランドのワルシャワ・ゲットーでは、劣悪な衛生状態に栄養失調も加わり発疹チフスが流行、餓死者もふくめ一〇万人にもおよぶユダヤ人が亡くなりました。新型コロナウイルスの感染が拡大すれば、同様の事態が起きるかもしれない。今回のイスラエルの強権措置の背景には、ゲットーの悲劇を繰り返さないという意志がうかがわれるのです。

特筆すべきは、イスラエルでは、聖域とされてきたユダヤ教超正統派の宗教行事にも禁止を命じたことでしょう。これまでイスラエル政府が、超正統派に介入することはありませんでした。というのも、超正統派はイスラエルにとって特異な存在だからです。

超正統派の教義では、終末に現れるメシアによってイスラエルは再建されるものと考えるため、現在のイスラエルを国家として認めていません。兵役にも強く反発しています。にもかかわらず、超正統派は政府から多額の補助金を受けている。こうした超正統派に政府が介入したことは、今後のイスラエルの内政に大きな影響を与えることになるかもしれません。

ここに挙げた国々とはまた別の形で、一貫した政策を取りつづけている国がある。それがスウェーデンです。スウェーデンでは、都市封鎖はおこなわず、イギリスが途中で放棄した集団免疫を獲得する戦略を続けました。したがってスウェーデンは、新型コロナウイルスの危機を予見可能なリスクと捉えたことになります。

では、そこで予見可能とされているリスクとは何か。それは、**高齢者の死亡率が高い**ということです。逆に言えば、福祉国家を支える生産人口は相対的にリスクが低い。生産人口の維持を優先するスウェーデンの政策は、**ソフトな優生思想**と言えるものなのです。

では、日本はこれらの類型のどこに当てはまるでしょうか。日本は、強権的な都市封鎖もしなければ、集団免疫の獲得を目指してもいない。また英米のように、政策の振幅が大きかったわけでもありません。

第3章で述べたように、新型コロナウイルスに対する日本の対応の特徴は、翼賛思想に基づき、行政が同調圧力を利用して、都市封鎖と同等の効果を発揮した点にあります。ある意味ではリスク以上、クライシス未満の危機に適応したと考えることもできますが、強制措置を取っていないという点では**きわめて独特の類型**として位置づけることができるでしょう。

2　時代は「全体主義」に向かう

トッド・モデルとハラリ・モデル

ここまでの考察で重要なことは、「リスク以上、クライシス未満」の危機という補助線を引くことで、各国の対応をタイポロジカルに考察する視点を獲得できたということです。一見、多様で比較するのが困難に見える事象群も、適切な補助線を引くことで類型的に考察できるわけです。

さらにこの補助線は、知識人たちのコロナ論を読み解くうえでも非常に有効です。筆者の見たところ、多くの知識人は、**このコロナ禍をリスクと捉えるタイプ**と、**クライシスと捉えるタイプ**に二分されるからです。

前者の代表が、エマニュエル・トッドです。トッドは朝日新聞のインタビューのなかで次のようなやりとりをしています。

――ただ、死者数は世界で30万人に迫る勢いです。かつてのスペイン風邪やペストと比較されうるものではないでしょうか。あなたの国の作家カミュが書いた「ペスト」は世界的に読まれています。

「そこまで深刻にとらえるべきではないと考えています。これもフランスの事例ですが、かつてＨＩＶの感染が広がったとき、20年間で約4万人がなくなりました。しかも若い人の割合が大きかった。今回のコロナの犠牲者は高齢者に集中しています。社会構造を決定づける人口動態に新しい変化をもたらすものではありません。何か新しいことが起きたのではなく、すでに起きていた変化がより劇的に表れていると考えるべきでしょう」（「コロナで不平等が加速する」、「朝日新聞デジタル」二〇二〇年五月二〇日）

この発言からもわかるように、トッドは今回のコロナ禍をリスクとして、「すでに起きていた変化」の延長上で捉えていることがわかります。そしてその根拠として、犠牲者が高齢者に集中しているために、人口動態に大きな変化がないことを挙げています。

これは先に見たスウェーデンと同様の認識であり、ソフトな優生思想と親和性が高い認識です。ソフトな優生思想を、巧まずしてトッドが言語化したと言えるかもしれません。

一方、現在のコロナ禍をクライシスと捉え、トッドと対照的な診断を下しているのが、ユヴァル・ノア・ハラリです。ハラリは、コロナ禍について次のように述べます。

> 人類は今、グローバルな危機に直面している。それはことによると、私たちの世代にとって最大の危機かもしれない。今後数週間に人々や政府が下す決定は、今後何年にもわたって世の中が進む方向を定めるだろう。医療制度だけでなく、経済や政治や文化の行方をも決めることになる。私たちは迅速かつ決然と振る舞わなければならない。（前掲「新型コロナウイルス後の世界」）

読めばわかるように、トッドとは大きく認識が異なっている。先述したように「クライシス」とは分かれ道のことです。ハラリによれば、人類は岐路に立っているわけです。だからこそハラリは、序章でも紹介したように、「全体主義的監視かそれとも国民の権利拡大か、ナショナリズムに基づく孤立かそれともグローバルな団結か」という選択が、将来に対して重い意味を持つと捉えて、民主的な統制が必要だと考えるわけです。

エリート主義か自由民主主義か

トッド・モデルとハラリ・モデルの相違は、エリートというものの捉え方にも表れています。先に引用したインタビューで、トッドはこのように述べました。

「注目しているのは、［引用者注：新型コロナウイルスに］比較的うまく対応できた国々では、政府、政治エリートへの信頼が高まるのではないかということです。例を挙げれば韓国、ドイツが含まれるようにみえます。一方で英仏などは政治家がろくな対策を打てず『ひとまず家にいてください』と言うしかない状況だった。でも市民は、それなりに秩序立った社会を維持した。『エリートが機能しなくても社会の統制はとれる』という経験をしたことは大きい。このような国では、既存のエリートの正統性がますます失われていくでしょう」（前掲「コロナで不平等が加速する」）

ここからうかがわれるように、トッドは特定の能力を持つ政治エリートの存在を重要視しています。対してハラリは、一人ひとりの持つ一票の重みは変わらず、一人ひとりの価値は一緒であるという、自由民主主義的な考え方を尊重するわけです。

ここで読者のみなさんは疑問を持つかもしれません。第3章で紹介した『ホモ・デウス』で、二一世紀の新しいテクノロジーによって人間至上主義は消滅し、「無用者階級」が生まれることをハラリは予見している。そのようなディストピア的未来像と自由民主主義的な考え方は矛盾するのではないか、と。

しかしハラリは、『ホモ・デウス』の最後でこのように述べています。

> AIとバイオテクノロジーの台頭は世界を確実に変容させるだろうが、単一の決定論的な結果が待ち受けているわけではない。本書で概説した筋書きはみな、予言ではなく可能性として捉えるべきだ。こうした可能性のなかに気に入らないものがあるなら、その可能性を実現させないように、ぜひ従来とは違う形で考えて行動してほしい。
>
> （ハラリ『ホモ・デウス（下）』、二四四頁）

つまりディストピア的未来像を回避するのは、われわれの選択にかかっているということです。民主主義的な価値判断は、ここにも貫かれています。

トッドとハラリの共通点

ここで注目したいのは、トッドとハラリには興味深い共通点も発見できることです。それは両者ともに、今回のコロナ禍によって人類が抱えているさまざまな問題が増幅されていると捉えていることです。

トッドであれば、グローバル資本主義やそれを牽引してきた英米型の新自由主義の弊害が、コロナ禍によって増幅されたという診断になる。それが典型的に現れるのが、格差の拡大です。第1章でも紹介したとおり、トッドは貧富の格差によって感染リスクの差が生じていることを指摘し、そのうえで、自由主義的な政府よりも規律重視の国家のほうが、コロナに適切に対処していることを評価している。したがってコロナ後は、グローバル化を反転させ、行政権力を強化して国民経済を守ることが処方箋の一つとなります。

それに対してハラリの場合は、コロナ禍によって増幅された問題として、データによる監視社会化やグローバルな連帯の欠如を挙げています。したがって先の選択肢に対しても、「国民の権利拡大」と「グローバルな団結」がハラリの求める処方箋となるわけです。

どちらの指摘にも傾聴すべき点はあります。そしてハラリの提示する「全体主義的監視か、それとも国民の権利拡大か」「ナショナリズムに基づく孤立か、それともグローバルな団結か」という二つの選択肢が現実味を帯びているのもたしかでしょう。

しかし望ましい選択を考えるためには、現実に対する冷静な分析が欠かせません。

筆者自身の見立ては、**われわれは現在、リスクとクライシスの中間に位置している**というものです。前述したとおり、新型コロナウイルスが収束した後でも、日本人のみならず人類が存続するのは確実なので、現在の状況はクライシスではない。他方で、現状はリスクの閾値を十分に超えている。その意味で「中間」なのです。

コロナ禍の後に起こる三つの変化

「中間」とはいえ、否応なく次の三つの変化は避けられないものと筆者は考えます。

第一は、**ヒト・モノ・カネが国境を越えて移動するグローバリゼーションに歯止めがかかる**ということです。ただし、各国が「鎖国」のような状態になるわけではありません。国家と国家の間、すなわちインターナショナル（国際）という枠組みで、政治、経済、文化などのコミュニケーションが進められることになるでしょう。

その結果、これまでと比べ、**国家機能が強化されます**。特に新型コロナウイルスを予防するワクチンを開発した国は、自国民への接種を最優先するはずです。このことで、国境の壁によって、命の価値が異なるという現実が可視化されることになります。

第二は、トッドが言うように**格差の拡大**です。感染症の影響は平等には及んでいません。スラム街に住む貧困層は密集した環境から抜け出すことができない。衛生環境も悪く、十分な医療サービスを受けられないので、新型コロナウイルスへの感染リスクが高く、また、発症した場合も重症化し、死に至る確率も高くなります。**財力によって命の価値が異なっているという実態が見えるようになる。**したがって第1章で述べたとおり、国家間の格差のみならず、一国のなかでの社会階層や地域の間でも格差が拡大するでしょう。

スウェーデンがそうだったように、命の格差が拡大する過程でさりげなく顔を覗かせるのが**優生思想**です。

生物学者の福岡伸一は、新型コロナウイルスに関して、次のように書いています。

> 病気は免疫システムの動的平衡を揺らし、新しい平衡状態を求めることに役立つ。そして個体の死は、その個体が専有していた生態学的な地位、つまりニッチを、新しい生命に手渡すという、生態系全体の動的平衡を促進する行為である。(「「福岡伸一の動的平衡」　ウイルスという存在　生命の進化に不可避的な一部」)

ここで述べられているのは、選ばれた個体だけが生き残るということです。生態系についての生物学的考察と、われわれの社会の状況はもちろん位相が異なりますが、ここには優生論的な発想がうかがえることに注意しておきましょう。トッドに見られるエリート主義とも親和性が高い発想です。

第三は、**行政権力の強化**です。評価の方向は反対ですが、トッドとハラリの見解は、コロナ禍が行政権力の強化に働いていることでは共通しています。そして第二波、第三波への懸念があることを考えれば、短・中期的には多くの国家で行政権力が強まっていくはずです。

日本の安全保障政策の大転換

国家機能や行政権の強化ということに関連して、日本でも不可逆的な変化が起ころうとしています。

二〇二〇年六月二〇日、政府は国家安全保障戦略（NSS）を初改定する方針を固めました。地上配備型迎撃ミサイルシステム「イージス・アショア」の配備計画が停止されたことを受け、それに代わるミサイル防衛についての検討が始まったのです。改定で注目されるのは、**敵基地攻撃能力に踏み込む可能性がある**ということです。ここで、日本の安全保障政策は大きくシフトしました。朝日新聞は次のように報じています。

> 敵基地攻撃能力とは、敵のミサイル発射拠点などを直接破壊できる能力を意味する。
> 1956年に鳩山一郎内閣は、日本に攻撃が行われた場合、「座して自滅を待つべしというのが憲法の趣旨とは考えられない」とし、「他に手段がない」場合に限り、ミサイル基地を攻撃するのは「法理的には自衛の範囲」と説明。これが政府見解として歴代内閣に引き継がれてきた。
> 敵基地攻撃能力の保有は、憲法上禁じてはいないとする一方、政府はこれまで、そうした能力は米軍に委ねると表明してきた。（「朝日新聞」二〇二〇年六月二〇日）

敵基地攻撃能力は、憲法上は認められていても、これまで政策的に封印されてきました。この封印を政府と自民党は解こうとしているのです。

イージス・アショアは、外国のミサイルから日本を守る「盾《たて》」です。「盾」を持てなくなったから「矛《ほこ》」で身を守るという発想は、安全保障の論理からすると合理的です。しかし敵基地攻撃能力を持つと、防衛を口実に攻撃を日本から仕掛けることも可能になる。日本は専守防衛で攻撃能力を持たないというゲームのルールの下で、東アジアの安全保障環境は維持されてきました。**このルールを、日本が積極的に変更しようとしている**のです。

この政策転換に北朝鮮と韓国はすでに警戒心を高めていますが、さらには中国とロシアも、日本が中距離弾道ミサイルを保有するのではないかと警戒するはずです。その結果、両国は日本を標的にした攻撃兵器の配備を強化することもありえるでしょう。両国の弾道ミサイルや巡航ミサイルには核兵器を搭載することも可能です。

こうして、日本政府が敵基地攻撃能力を持つようになると、日本に対する核兵器と通常兵器による攻撃の可能性が高まります。中国、ロシアと外交ルートを通じて信頼醸成措置をとらないと軍拡競争が進み、**偶発的な核戦争のリスクさえ生じます**。

日本が敵基地攻撃能力を保持することの危険性は、きちんと報じられていないようですが、筆者はポスト・コロナにおける日本の命運を左右する出来事と捉えています。

全体主義と民主主義は対立するのか

さて、以上をふまえて考えてみたいのが、ハラリが一つ目の選択肢として掲げた「全体主義的監視か、それとも国民の権利拡大か」という問題です。これは別の言い方をすれば、第1章で考察した「ホッブズ的国家か、ロック的国家か」という選択と考えることもできるでしょう。

新型コロナウイルスへの対応をタイポロジカルに考察したとき、まず目につくのは、英米に代表される自由民主主義国の対応のまずさでした。自由民主主義国に比べると、規律重視の国、権威主義的な国のほうがコロナ対応において成果をあげていることは否定できない事実です。

ただし、そこからすぐに民主主義と全体主義を対立的に捉えるのは早計です。

戦前から戦後にかけて活躍した、今中次麿《つぎまろ》（一八九三〜一九八〇）という政治学者がいます。今中が一九四六年（昭和二一年）に刊行した『民主主義』には、「ソ連の民主主義とナチスの民主主義」という章があります。そこで彼は、第二次世界大戦前に現れたソ連やナチスのような独裁政治は「民主主義の概念を不透明にした」と指摘したうえで、「ソ連の民主主義」と「ナチスの民主主義」について解説を加えている。両者はタイプこそ異なるものの、どちらも**専制的な要素と民主的な要素が融合している**というわけです。

アメリカ型の自由民主主義の考え方に馴れてしまうと、ソ連やナチス・ドイツのあり方は民主主義とは正反対に思えてしまうでしょう。しかしこの本が出版された一九四六年の時点では、アメリカ型の考え方がまだ日本に定着していなかった。だからこそ、今中は状況を柔軟に捉え、正確に考察することができたのです。

今中の考察からわかることは、ソ連やナチス・ドイツのような**全体主義的国家、専制的国家にも、なんらかの民意を反映する仕組みが備わっていた**ということです。

初期ナチス・ドイツの理論家であるカール・シュミット（一八八八～一九八五）もまた、民主主義と独裁は矛盾しないことを説きました。すなわち、全国民が一人の指導者に委任する場合も民主主義原理は担保されていることになります。ここで選ばれた一人は国民全体の利害を体現する「質的に異なる唯一者」ということになるわけです。

民主主義という観点からは、民意がどう反映されているかが重要であり、それが議会制であっても独裁制であってもいい。**民主主義原理はその中に独裁制へつながる潜在的可能性をつねに孕《はら》んでいる**のです。

質的に最も高い個人に圧倒的大多数の民意が集約されていると考えられるなら、ここで全体主義に舵を切り替えても、民主主義という理路のうえでまったく問題がありません。その意味で、民主主義には全体主義という種が隠れているのです。

だとすれば、現代の「全体主義的国家」と評されるような中国やロシアでも、「中国型民主主義」「ロシア型民主主義」と捉えることが可能になります。

このように民主主義の性格を把握するならば、現在、自由民主主義と言われる国も、民意の選択によって全体主義に転じる可能性をつねに孕んでいることになります。

全体主義化が進む三つの理由

以上をふまえて現実を見たとき、**全体主義的な国家の存在感が増していく可能性が高いでしょう。**理由は三つあります。

第一に、すでに述べたように**自由民主主義の代表であるアメリカや英国は、深刻な分断によって、民主主義が危機的状態に陥っています。**自由民主主義を構成する自由と平等という価値は、簡単に結合できるものではありません。むしろ、自由を推し進めれば平等が損なわれ、平等を推し進めれば自由が損なわれるという形で鋭く対立するのです。

フランス革命の理念である「自由、平等、友愛」は、対立する自由と平等のバランスを、

「友愛」によって取ることを示しています。ところが分断が進むアメリカや英国では、友愛が毀損されてしまった。その結果、自由民主主義の危機に直面しているわけです。

第二の理由は、**情報技術の進展によって、統治の効率性が高まっている**からです。第3章で紹介したイスラエルは言うにおよばず、たとえば中国では、監視カメラを張りめぐらせているだけでなく、行政的な手続きの電子化も急速に進んでいる。本来、行政機構は効率を重視する機関です。企業に比べて行政の意思決定は遅いと思っている人もいるかもしれませんが、それは行政が民主的な手続きに従っていることの裏返しです。

しかし本音のところでは、行政官僚にとって、民主的な手続きは時間のムダ以外の何ものでもありません。ですから情報技術によって効率のいい統治ができるなら、それに越したことはない。その意味で**情報技術の進展は、全体主義と親和性が高い**のです。

このこととも関連しますが、第三の理由として**専門家至上主義への傾斜**という点が挙げられます。情報技術であれ、今回のコロナ対策であれ、専門家の発言や技術は政治に大きな影響を及ぼします。しかし先述したとおり、専門家組織内の議論は国会内のそれとは異なるのでブラックボックス化しやすい。したがって、**専門家集団の発言力が高まれば高まるほど、政治のブラックボックス化が進み、代議制民主主義は軽視されていくことになる。**

これもまた全体主義化の兆候です。

3 「薄い人間関係」で社会を変える

全体主義化が進行すれば、先述したハーバーマスの「順応の気構え」が蔓延《まんえん》していきます。自分の思考を放棄して、意思決定を他人任せにしてしまう。そこに歯止めをかけるためには、**「民主主義か、全体主義か」という選択の手前に立ち止まって考えること**が必要です。

立ち止まって考えることの重要性

経営学の分野では、「ミッション」「ビジョン」「バリュー」という考え方があります。ミッションは企業の使命、ビジョンはミッションを達成するための未来像や行動指針、バリューは価値観のことです。

この考え方を、私たちの未来の選択に援用してみましょう。ハラリもトッドも方向は逆向きであれ、みずからの使命感（ミッション）に基づいて、自身の望むビジョンを選択することの必要性を説いている点では共通している。その意味で、両者ともに目的論的な考え方をしていると言えるでしょう。

しかし**目的論的な思考は「順応の気構え」を呼び込みやすい**。目的ありき、ゴールありきの思考は、「この目的を疑わずに従え」というメッセージとして受け取られるため、その中身のいかんを問わず、全体主義的な思考に接近してしまうのです。

それを回避するために大事なのは、一度立ち止まって「バリュー」を考えてみることです。すなわち**ミッションやビジョンをいったん括弧にくくって立ち止まり、自分や家族、自分の愛する人、自分の会社にとって何が価値として重要なのかを考えてみること**です。そして、自分の大事な価値に基づいて、ビジョンやミッションを捉え直していくのです。

ただでさえ情報過多の現代では、人びとは情報に押し流されやすくなっています。そこで思考停止に陥り、おかしな情報に飛びつき流されていってしまう。それを防ぐには、**「立ち止まって考える」ことの重要性**を強く自覚しなければなりません。

「薄い人間関係」のメリット

ただし、「立ち止まって考える」とはいえ、これを一人きりでおこなうことは大変な困難を伴います。自分の内なる思い込みや偏見は、自分だけで考えていてもなかなか解除できません。立ち止まって考えるためには、自分の誤解を正してくれたり、新しい発想の気づきを与えてくれたりする**他者との対話**が欠かせません。

対話をするには、利害損得だけに還元されない直接的な人間関係が必要です。たとえば友達に本をプレゼントする、割り勘にせずにご馳走し合う、家族と過ごす時間を大切にする。こうした**商品経済の論理とは異なる人間関係**を大事にすることが、一人の個人にとって、国家の論理、行政の論理、資本の論理に支配されないための重要な方法なのです。

ここでいう直接的な人間関係は、濃い人間関係だけを指すのではありません。むしろ濃い人間関係では、同質性が強いため、内輪に閉じてしまう危険性もある。そうならないようにするには、**薄い人間関係**も同時に築いておくことです。

一緒に食事をしたり、しょっちゅう会ったりしなくても、何か知りたいことがあったら、連絡を取って尋ねることができる。たまたま会ったときに、近況報告をしながら情報交換ができる。そういう薄い人間関係の広がりが、自分にとって予期せぬ打開策をもたらしてくれることもあるのです。

薄い人間関係は、コロナ禍の下のような、直接人と会いにくい状況でも構築することは可能です。ＳＮＳを活用して、気軽にコミュニケーションをしてもいい。Ｚｏｏｍを使った読書会なども、薄い人間関係にはもってこいです。できればそういった関係のなかで、自分とはタイプの異なる人間、あるいは自分の不得意分野についてくわしい人間とつながりを持てると、同質性を相対化するきっかけを得やすくなるはずです。

タンザニア人たちに学ぶ「ついでに親切をすること」

この「薄い人間関係」を考えるうえでヒントになるのが、文化人類学者・小川さやかの『チョンキンマンションのボスは知っている』という本です。

同書のテーマは、香港在住のタンザニア人たちのネットワークです。小川は、安宿や食堂、商店などが入っている香港の雑居ビル「重慶大厦《チョンキンマンション》」で、「チョンキンマンションのボス」と自称するタンザニア人カラマと出会い、彼のライフヒストリーを聞きながら、香港のタンザニア人たちがつくり上げている複雑なネットワークを解き明かしていきます。

そこで小川が注目するのは、タンザニア人たちの**「ついで」に親切をするという仕組み**です。

カラマたちと一緒に暮らすと、私はしばしば不思議な気持ちに陥る。彼らはみな「誰も信頼しない」「誰も信頼してはいけない」という。別にひねくれているわけでも、斜に構えているわけでもない。（中略）香港のタンザニア人たちはみな裏切られた経験があり、これは現実的な他者理解に過ぎない。そのくせ彼らは頻繁に「俺は、○○に愛されている」「○○は、俺のことが好きだ」と断言する。彼らは、参与しているネットワークに投げ入れた自身の要求やアイデアに偶然に応答する者が現れると、「彼／彼女は、私のことが好きだ」と語るのだ。誰も信用しない／できない世界で私に賭けてくれたのだから、「彼／彼女は私を好きにちがいない」という論理が成りたっているようだ。だがその逆に「彼／彼女は、私を嫌っている」「俺は○○が好きだ」という言葉はめったに聞かない。なぜかといえば、「ダメもと」で投げた要求やアイデアに偶然に応じてくれた他者こそが重要だからだ。応じなかった他者について気に病むのは、そもそも「ダメもと」「偶然」なのだから意味がないし、自分が誰を好きであるかは、私自身の働きかけの成否にほとんど関係しない。（『チョンキンマンションのボスは知っている』、二六四～二六五頁）

ここに述べられているとおり、タンザニア人たちは「誰も信頼しない」という他者理解のもとで、独特な人間関係をつくり上げています。通常の理解では、相互に強く信頼し合っているからこそ人間関係は強固になる。しかし、ここでは逆です。

信頼はしていないので「ダメもと」で何かを頼み、頼まれたほうも無理はせず、ついでにできることなら手を貸す。「案内して欲しい場所が目的地への通り道なら連れて行くし、ベッドが空いていたら泊めてあげる。知っていることなら親切に教えるし、ついでに出来ることなら、気軽に引き受けてくれる」（前掲書、八五頁）といった具合です。「ついでに」してもらったことなので、助けられた側も過度な負い目を感じる必要はありません。

これを読むと、他者に過剰な期待をせずに、自らできる範囲で見返りを求めず贈与するという社会システムが十分成り立つことがわかります。これを、**薄い人間関係の持つ可能性**として読み込むこともできるでしょう。

「順応の気構え」に流されないためには、濃い人間関係と薄い人間関係の両方が必要です。そして濃い人間関係は人数的に限界がありますから、薄い人間関係、ゆるいつながりを幾層にも重ねていきながら、立ち止まって考える機会を増やしていく。

このような個のレベルの実践を重ね合わせて社会的関係を豊かにしていかなければ、いくら自由民主主義的な制度が整備されていても、絵に描いた餅で終わってしまうでしょう。制度は個の具体的な実践を活かすために存在するものです。ですから、**個のレベルの実践を起点として、望ましい社会システムを構想していかなければなりません。**

それこそハラリやトッドの突きつける選択とは異なる、もう一つの「選択」のあり方だと筆者は考えます。

■ブックガイド5

神里達博
『リスクの正体――不安の時代を生き抜くために』
岩波新書、二〇二〇年

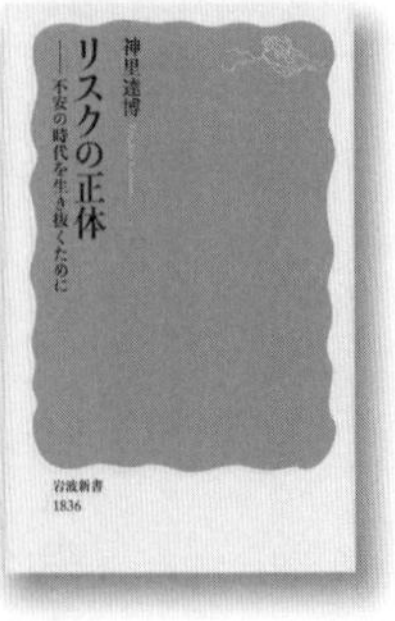

新型コロナウイルスに代表される感染症リスク、繰り返す豪雨災や地震の恐怖、ブロックチェーンのような新技術が抱える課題など、私たちはさまざまなリスクに取り囲まれて生活している。こうしたリスクやそれがもたらす不安に翻弄されないために、私たちは自然や技術とどのようにつきあっていけばいいのか。

科学技術社会論を専門とする著者は、文明論的な視座に立って、リスク社会のゆくえを展望する。リスクとクライシスの違いについて考えるうえでも有益な一冊だ。

小川さやか
『チョンキンマンションのボスは知っている――アングラ経済の人類学』
春秋社、二〇一九年

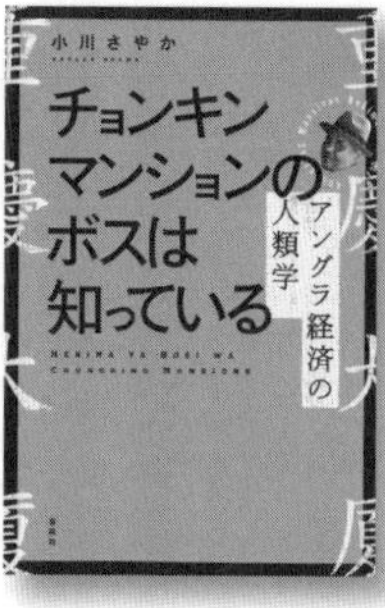

著者の小川はスワヒリ語と英語に堪能であるばかりでなく、他者の内在的論理をつかむ類《たぐ》い稀《まれ》な才能がある。小川は香港の雑居ビル「重慶大厦（チョンキンマンション）」で、「チョンキンマンションのボス」と自称するタンザニア人カラマに取材をしながら、香港のタンザニア人たちがつくりあげている複雑なネットワークを解き明かしていく。彼らのユニークな「ついで」の経済ネットワークは、現代社会にとっても示唆に富む。

終章　「選択の時代」の宗教・文学・哲学

ここまで述べたとおり、私たちはまさしく「選択の時代」を生きています。地球環境から国際情勢、政治経済から働き方、人間関係までがドラスティックに変貌するこの時代を、私たちはどう生きていくべきか。

序章で紹介したモサドの元幹部の言葉を、ここに繰り返します。

「新型コロナ後の世界は「**ほんとうの幸せとは何か**」「**人間の生死はどのように決まるのか**」「**人生の意味は何なのか**」というような、人間の内面に対する関心が深まるようになる。新自由主義が席巻するなかで軽視されていた哲学や宗教に対する関心が強まると思う」

彼の言うとおり、人間の内面についての関心を受け止めるのは、哲学や宗教、そして文学です。では**これらを、選択の時代を生きるための指針として、どう活用すればよいのか。**

本書の最後に概観してみましょう。

内面性の暴発

第4章で見たように、新型コロナ禍は「リスク以上、クライシス未満」の危機であるため、その対応策も国や地域によって大きく異なるものとなりました。同時に、現状ではコロナ禍がいつ収束するか、正確に見通すことは不可能です。

仮に二〇二〇年のうちに感染拡大が収束するならば、世界は現在とそれほど大きく変わらないかもしれません。リモートワークや時差出勤、オンライン学習などは、従来よりも広がりますが、旅行や外食も徐々に回復していくでしょう。

それに対して、感染拡大を防ぐための外出自粛が二〇二一年、二〇二二年と続いていくとすれば、それだけ後世への影響も大きくなります。

外出できない状況が長引くと、モサド元幹部の言うとおり、必然的に人間の関心は内面に向かっていくようになります。「内面性重視の時代」というと、心の豊かさを求めていくベクトルが強まるように聞こえるかもしれません。もちろんそういった面もあります。しかし同時に、**内面性が暴走してしまうことの危険性**も認識しなければなりません。孤立した状態で、自己の心をのぞきこみすぎると、魂がインフレーションを起こします。そして、**肥大した魂からはロマン主義的なナルシシズムや暴力が生まれてしまう**のです。

すでにその兆候は現れています。アメリカの人種差別反対デモの一部が過激化し、放火や略奪にまで至った背景には、コロナ禍で抑圧された内面性が暴発した側面があります。身近なところでは、リアリティ番組「テラスハウス」に出演していた木村花さんを死に至らしめたSNS内での暴力的な中傷や糾弾もまた、人々の魂のインフレーションと無関係ではないはずです。

啓蒙主義とロマン主義の相克

一九七〇年代から九〇年代に流行したポストモダンの思想や言説は、近代的な個人の解体を告げ、軽やかで多元的な自己像を称揚しました。

しかし個人の内面性はそんなに簡単に解体できるものではありません。むしろ現代的な思想は、内面というものを甘く捉えすぎていた節もある。すなわち思想が、内面の持つ悪や暴力性と向き合わずにきたツケがたまって、いまさまざまな形で暴発しているのです。

本書では、私たちはいま「感染症の逆襲」を受けていると述べてきましたが、現下状況はまさに「近代の逆襲」とも言えるものでしょう。

個人の内面化は、近代の誕生と同時に成立したものです。近代以前、神は天上にいると信じられてきました。しかしそれでは、ケプラー以降の天体観や宇宙観と矛盾してしまう。そこで矛盾しないところに神の場所を置かなければならなくなります。その転換を神学的におこなったのが、神学者フリードリッヒ・シュライエルマッハー（一七六八～一八三四）でした。

「近代プロテスタント神学の父」と称されるシュライエルマッハーは、**宗教の本質は直観と感情**だと言った。つまり、**神は心のなかにいる**と考えたわけです（シュライエルマッハーの功績と限界については、拙著『はじめての宗教論　左巻』にくわしく記しました。興味のある読者はご参照ください）。

したがって、科学的な合理性をうみだした啓蒙主義と、個人の内面化は、ともに近代とともに成立したという意味では表裏一体のものとして捉えなければなりません。しかし啓蒙主義が宗教に否を突きつけたことをふまえれば、両者の折り合いは、本来的には決してよくありません。いってみれば**啓蒙主義によって、神は個の内面に封じ込められる格好になった**のです。

そこで一八世紀末から一九世紀になると、啓蒙主義的な合理性に対して反旗を翻す運動がドイツを中心に起きてくる。それが**ロマン主義**と呼ばれるものです。

ロマン主義は、合理主義に反抗し、感情・個性・自由・非合理性を重視します。いわばロマン主義とは、**啓蒙主義に抑圧された魂の暴発現象**であり、非合理的なものやスピリチュアルなものへと向かいやすい。さらにロマン主義が民族主義と結びつくと、**非合理的なナショナリズムの暴走をまねく**ことになります。

その意味で、「血と土」という荒唐無稽な神話に基づくドイツのナチズムにも、ロマン主義的な要素が多分に含まれています。アドルノとホルクハイマーは『啓蒙の弁証法』で、啓蒙主義的な理性がナチズムという新しい野蛮をもたらす逆説を考察しながら、啓蒙主義の持つ道具的な合理性を批判しましたが、そこにはロマン主義の暴走が伴っていたことを忘れてはなりません。

アメリカ型啓蒙主義の限界

一方で、第二次世界大戦に勝利したアメリカはロマン主義を経験していません。ヨーロッパでロマン主義が流行している時期、かの国はフロンティアを開拓していた。つまりアメリカは、**ロマン主義なき啓蒙主義、合理主義の精神のまま**二一世紀に至ったわけです。
たしかにアメリカには宗教性が色濃く残っていますが、**アメリカの宗教は啓蒙主義と矛盾しない形で根づいている**のが特徴です。合理的に利益を出せば、それが神の祝福となる。だから最初に、神の愛を信じることができれば、あとは合理性を追求して構わないという構造になっています。

戦後の東西冷戦も、その競争の土俵が軍事力や科学技術力だったことをふまえれば、啓蒙主義の延長でおこなわれていたに過ぎません。そしてソ連の崩壊によって、アメリカ型啓蒙主義が勝利し、グローバルな規模でアメリカ型啓蒙主義が覇権を握りました。

しかし一九世紀と同様に、啓蒙主義があれば必ずロマン主義が生まれます。そして啓蒙主義に強く傾けば、それだけ反動としてロマン主義も暴発しやすくなる。その意味で、二一世紀に入って立て続けに起こったテロリズム、さらに反グローバリゼーション運動は、**アメリカ型啓蒙主義への反動であり、一九世紀のロマン主義の反復現象**なのです。

先述したように、ロマン主義は合理性に背を向け、内面や感情を重視するものです。コロナ禍による内面化もまた、ロマン主義の一形態と捉えることができるでしょう。そして現実を見れば、長らく純粋な啓蒙主義を貫いてきたアメリカがいま、大きな危機に直面している。**アメリカはいま、建国以来初めて、ロマン主義の暴力を経験しているのかもしれません。**

フロマートカに見る宗教の役割

では、本章の主題に入りましょう。新しいロマン主義の時代、そして選択の時代に、私たちは宗教や文学、哲学とどのように向きあえばいいのか。

まず、宗教から考えていきましょう。先述したように、ロマン主義の問題は、人間の外部にあった超越的な神の場所を、心のなかに置いてしまったことにあります。そのため、近代以前には当たり前にあった、人間を超越する外部にアクセスする回路がなくなってしまった。わかりやすく言えば、人間を超越する全知全能の神を無邪気に信じることができなくなったわけです。加えて、ロマン主義は、貧困や格差、差別など、此岸《しがん》（現実）の社会問題が発火点となって暴発しやすい。

したがって現代の宗教に求められるのは、外部性を担保しながら、現実の社会問題の解決に貢献できるような宗教性ということになります。外部性を担保するとは、超越的な神の存在は不可能だと知りながら、神の感覚を語りつづけるということです。しかし超越的なものを語るだけでは、もはや人びとの心を捉えることはできません。宗教が人びとの苦しみに寄り添うためには、**超越的なものを語ると同時に、現実の社会問題に取り組む必要がある**のです。

たとえば、筆者がその研究をライフワークとしているチェコの神学者ヨゼフ・ルクル・フロマートカ（一八八九〜一九六九）の実践が参考になります。

東西冷戦下を生きたフロマートカにとって、最も差し迫った現実の問題は戦争の回避でした。そこで彼は一九五八年に「キリスト者平和会議」を創設し、東西の緊張緩和に尽力しました。

そのほか、一九五〇年代には、当時のチェコスロバキアで展開された反ユダヤ主義キャンペーンに抵抗し、六〇年代には民主化運動である「プラハの春」に向けた活動を始めます。マルクス主義者と対話し、対話によって人間は本当に心から変わることができると主張しました。プラハの春が始まり、それを弾圧しようとソ連軍の戦車が入ってくると、この介入に対して公開書簡を叩きつけて抵抗したのです。

フロマートカは、「フィールドはこの世界である。信仰を持つ者はつねに前を見る」という言葉をよく口にしました。二つの選択肢があったとき、客観的に考えて、より難しいほうを選択したほうが、キリスト教的な倫理としては正しいということを言ったのです。

フロマートカのように、現実の危機、現実の問題に取り組みながら、外部性を担保できるような宗教でなければ、魂のインフレーション、あるいはロマン主義の暴走を食い止めることはできません。別の言い方をすれば、**既存の宗教が人々の内面に訴えるメッセージを発する場合、現実の社会問題を素通りしてはならない**ということです。

カミュ『ペスト』のもう一つの読み方

一方、コロナ禍のなかの「外部性」の問題を考えるうえでは、カミュの『ペスト』が参考になります。

小説の舞台は、フランス植民地時代のアルジェリアの港湾都市オランです。時代は、一九四＊年。物語は、些細《ささい》な変化の記述から始まります。

> 四月十六日の朝、医師ベルナール・リウーは、診療室から出かけようとして、階段口のまんなかで一匹の死んだ鼠《ねずみ》につまずいた。咄嗟《とっさ》に、気にもとめず押しのけて、階段を降りた。しかし、通りまで出て、その鼠がふだんいそうもない場所にいたという

考えがふと浮び、引っ返して門番に注意した。（カミュ『ペスト』宮崎嶺雄訳、一一頁、一部ルビを補った）

いつもは見かけないところで散見された鼠の死骸から、ペストは市内に蔓延していきます。事実から目を背《そむ》けようとする行政幹部や、医療崩壊さながらの病院の様子など、現代のコロナ禍とのアナロジーを多く発見できる点が、いま再び大勢の人に『ペスト』が読まれている理由でしょう。

注目したいのは、同作に登場するイエズス会のパヌルー神父の言動です。ペストに対して、対症療法であっても人間の力で徹底的に戦うというのが、主人公の一人であるリウーの医師としての職業的良心です。これに対してパヌルー神父は、ペストという試練を前にして、悔い改めが重要だと説きます。少し長くなりますが、重要な箇所なので引用しましょう。

リウーのおぼろげに読みとったところでは、神父にいわせれば、そこにはなんら解釈すべきものはないのであった。（中略）一見必要な悪と、一見無用な悪とがある。（中略）

なぜなら、遊蕩児《ゆうとうじ》が雷電の一撃を受けることは正当であるとしても、子供が苦しむということは納得できないのである。（中略）そもそも永遠の喜びが、一瞬の人間の苦痛を償いうると、誰が断言しうるであろうか？　そんなことをいうものは、その五体にも霊魂にも苦痛を味わいたもうた主に仕える、キリスト者とは断じていえないであろう。否《いな》、神父は壁際に追い詰められたまま、十字架によって象徴されるあの八裂きの苦しみを忠実に身に体《てい》して、子供の苦痛にまともに向い合っているであろう。そして、彼はこの日、自分の話を聞いている人々に向って、恐れるところなく、こういうであろう――「皆さん。その時期《とき》は来ました。すべてを信ずるか、さもなければすべてを否定するかであります。そして、私どものなかで、いったい誰が、すべてを否定することを、あえてなしうるでしょう？」

リウーが、神父は異端とすれすれのところまで行っていると、考える暇もほとんどないうちに、神父は早くも力強く言葉を続けて、この命令、この無条件の要求こそ、キリスト者の恵まれた点である、と断言した。（前掲書、三三〇～三三一頁）

神がいるなら、なぜペストによって罪のない子どもが苦しまなければならないのか。人間ならばそう考えたくなります。しかし神の意志は、人間の知性では推し量ることはできません。**キリスト教は本質において人間の知性を信用しない**のです。

カトリックの場合、知性と信仰を調和させようと試みますが、プロテスタントの場合はそのような試みを放棄し、パヌルー神父のように「すべてを信ずるか、さもなければすべてを否定するか」と考えます。

つまり、パヌルー神父はペストという極限状況でカトリックからプロテスタントに転向したのです。パヌルーもペストで命を落としますが「すべてを信ずる」という姿勢を崩さなかったのですから、信仰に殉じたと言っていいでしょう。

カミュの『ペスト』では、外部性の問題をパヌルー神父が引き受け、此岸の問題（ペストの治療）を医師のリウーが引き受けています。ポスト・コロナの世界では、この両方の視点を宗教者が持つことが求められます。それが先述した「外部性を担保しながら、現実の社会問題の解決に貢献できるような宗教性」ということです。

小説から悪を学ぶ

カミュの『ペスト』がそうだったように、文学も宗教と同様に、人間の内面の問題を扱ってきた長い蓄積があります。人間が個人的に経験できることは限られていますが、小説には、自分とは異なる人間の経験を追体験できるという効用があります。

ではポスト・コロナを見据えたとき、どのような小説を読むことが必要か。それは、**人間の負の感情、ディストピア世界を扱った小説、すなわち人間の悪と向き合った小説**です。「選択の時代」をロマン主義の時代と言い換えると、この時代には悪が巣食いやすい。なぜでしょうか。

ロマン主義者の「ロマン」は実現しません。この壁に突き当たるとニヒリズムが生まれます。ニヒリズムを克服しようとして生まれたのがナチズムです。ロマン主義からニヒリズムを経由してナチズムが生まれたように、ロマン主義の時代には悪がはびこるのです。そういった時代に、悪に対する感度が低いと、自分でも知らないうちに、人から恨みを買っていたり、巨大な悪に押し流されたりする危険性があります。

自分のなかにある悪からいかに抜け出すか。悪に落ちないためにはどうすればいいか。そのためには、**悪を追体験しておくこと**が重要です。そして、すぐれた小説を読むことは、人生を台無しにしかねない**悪から距離を取る知恵を与えてくれる**のです。

たとえば、柚木麻子の『伊藤くん A to E』という小説では、**自己愛の肥大化が招く暴**

力性を追体験することができます。

「伊藤くん」は、有名大学を卒業した後、予備校の講師をつとめています。実家が千葉の大地主なので、経済的な不安はまったくありません。売れっ子脚本家になることを夢見るものの、予備校でのバイトに明け暮れて、一本も脚本を書いていません。

小説は、五人の女性の独白という体裁で、「伊藤くんＡ」「伊藤くんＢ」……という五種類の「伊藤くん」の物語が展開していきます。そのクライマックスは、最終章「伊藤くんＥ」で、「伊藤くん」が自らの人生観を吐露するとともに、暴力性を爆発させるところでしょう。彼の主張を引用してみましょう。

「テレビも映画も小説も『傷つくことを恐れるな』と言い続けているけど、それは強者主導のルールですよ。傷ついても平気な顔で生きていけるのは、恥をかいても起き上がれるのは、ごく限られた特殊な人種だけなんですよ。そのことに誰も気付かないから、不幸が起きるんです。大抵の人間が夢を叶えないまま死ぬのは、夢と引き換えにしてでも、自分を守りたいからですよ。楽しいより、充実感を得るより、金を稼ぐより、傷つけられない方が本当は重要なんですよ。僕もそうです。でも、他の人と違って、ちゃんとそれを認めているし、隠すつもりもうないんです。自分から誰かを好きになったりしません。自分から誰かを好きになったら、どんな人間でも恥をかくようにできている。（中略）傷つける側に立つことがあっても、その逆は絶対に嫌なんです。そのことを認めるのに、かなりの勇気が必要でした。我ながらみっともないとも思いました。周囲と比べて落ち込んだし、実際、色々なことをあきらめました。でも、この数年で、そう決めたんですよ」（『伊藤くん A to E』、二八九〜二九〇頁）

この発言の後、伊藤くんは「ちょっと、なんですか。その目はっ。この期におよんで、僕を莫迦《ばか》にして！」（前掲書、二九三頁）と、相手の女性に襲いかかろうとするのです。

伊藤くんは、自己愛が強すぎるあまり、競争の土俵には絶対に乗ろうとしない。安全地帯に居つづけることでつねに勝者でいることに自足しようとします。こうした**歪んだ自己愛が抱え込んでしまう暴力性**が、現代的なロマン主義を特徴づけているのかもしれません。

現代のディストピア小説

ディストピア小説では、窪美澄の『アカガミ』や村田沙耶香の『消滅世界』が、コロナ禍のなかで立ち現れている**優生思想の悪**を見事に描いています。

『アカガミ』の舞台は、二〇三〇年の日本です。少子高齢化の進行に加え、とある論文がきっかけで若者の自殺が急増してしまう。このままだと少子化で日本が滅びてしまうことに危機感を抱いた政府は「アカガミ」と呼ばれる制度を導入します。アカガミでは、出産可能なカップリングを政府がおこなう。住宅だけでなく、栄養素のバランスがよく取れた食事も配給される。子どもを作ろうとするカップルだけでなく、その親の生活や介護も政府が責任を持つ。まさに至れり尽くせりの制度のように見えます。

しかし物語が進むにつれ、生まれてくる子どもは国家の所有物となることが暗示され、身体に異常があると「不適格」の判を押されてしまう。

これは明らかにドイツのナチズムに象徴される優生思想に通じています。国が出産に介入するような社会の延長には、「アカガミ」のようなシステムが待ち受けているのです。

村田沙耶香の『消滅世界』もまた、管理社会や優生思想をテーマとした作品です。男女差なく人工授精による出産が可能になった世界が舞台ですが、そこでは男女間のセックスはタブーとなっている。そして人工授精によって生まれた子どもは、家族ではなく「楽園システム」で、あらゆる大人から均等にかわいがられるのです。

同作は、未来のプロレタリア小説という側面も持っています。プロレタリアートとは資本主義社会で、生産手段を持たず、労働力だけを頼りに生きる階級です。その意味で、子どもを再生産するしかない階級とも言えるでしょう。そもそもこの言葉は、子どもしか資産がない「古代ローマの下層民」を意味する言葉を語源としています。しかし『消滅世界』では、プロレタリアートの再生産を国家が直接おこなうモデルが提示されているのです。

両作品ともに、共通しているのは「人口減少」と生産力の低下に対する国家の介入を、ディストピアとして描いている点です。

第4章で見たように、スウェーデンのコロナ対応には、優生思想が影を落としていました。国家によって命の選別がおこなわれかねないコロナ禍の現実は、『アカガミ』や『消滅世界』のディストピアと地続きです。そういった想像力を働かせるには、こうした作品を読んで、国家と生殖という問題意識を持っておくことが重要なのです。

哲学を使って考える

第4章では、簡単に選択肢に飛びつく前に「立ち止まって考える」ことの重要性を説きました。しかし徒手空拳《としゅくうけん》で考えても、思考は空回りしがちです。**何かを考えるにしても、**

踏み台やサポートが必要です。そこで役に立つのが先人の哲学や思想です。

たった一人で、全力で考えてみたところで、到達できる範囲は限られています。過去の哲学者たちといえども、ゼロから自らの哲学を組み立てたのではなく、先人の思考をジャンプ台として使って、体系的な哲学を築き上げました。

だとすれば、私たちも先人の蓄積を活用しない手はありません。たとえば論理的に物事を考えたり書いたりしたいのであれば、芳沢光雄『論理的に考え、書く力』や野矢茂樹『論理トレーニング１０１題』、戸田山和久『新版　論文の教室』などのすぐれた本を読めばいいでしょう。いずれも、先人たちが積み上げた論理的思考のエッセンスを身につけることができる良書です。また、過去の哲学・思想を学ぶには、斎藤哲也『試験に出る哲学』『もっと試験に出る哲学』が適しています。

あるいは、社会の構造について哲学的に考えたい場合は、マルクス『資本論』をやさしく説いた拙著『いま生きる「資本論」』や『資本主義の極意』から入門することができます。

ただし、哲学書や思想書には副作用がある。ショーペンハウアーが『読書について』のなかで、「読書は、他人にものを考えてもらうことである」とアイロニカルに語っているとおり、哲学書を読むことは思考のショートカットであると同時に、**自分の頭で考える力を**

毀損してしまう可能性もあります。

ですからオタク的に哲学書を読むのではなく、自分の生活や人生などと結びつけて読んでいくことが大切です。

共同で内面を掘り下げる方法

同志社大学神学部に在籍していたところ、筆者は、指導教授である渡邉雅司先生と、鴨川のほとりを歩きながら、こんなやりとりをしたことがあります。

「佐藤君、前から聞いておきたいことがあったんだけどいいかい？」

「何でしょうか」

「結局、一人ひとりが、自らの足場を掘り下げていくしかないと思うんだ。学問にしても、人生にしても。究極的なところでは群れたらだめだ」

「それはちょっと淋しい気がしますね」

「淋しいけれど、そうなんだと思う。しかし、問題はその先だ。一人ひとりが足場を掘り下げた地下には、この鴨川のような地下水脈が流れているだろうか」

ここまで述べてきたように、自分の内面性は取り扱いが非常に難しいものです。掘り下げ方を間違えると、暴発する危険性も高い。でも渡邉先生が示唆するように、自分の人生や内面を深く掘り下げていった先では、**同じように掘り下げていった人たちと地下水脈でつながることができるかもしれません**。それは暴発ではなく、個の固有性を尊重し合うという「薄い人間関係」の積み重ねの上に成り立つ、**真に深い連帯**と言えるものでしょう。

自分の内面である以上、掘り下げるのは自分にしかできません。小説も哲学も、追体験や思考のサポートは提供してくれますが、内面を実際に掘り下げていくのは自分自身です。

ただ、ほかの人々と協力し合って掘り下げることはできます。たとえば一冊の本について、オンラインでもオフラインでもいいので読書会をする。山本多津也の『読書会入門』は、自身が主宰する日本最大規模の読書コミュニティ「猫町倶楽部」での実践を紹介した本ですが、そのなかで山本は、読書会という形で、グループで本を読むことの意義について次のように述べています。

> では、これら一連の学びは何のためにあるのでしょうか。それはもとを正せば、生

> きるためにほかなりません。生活の中で実践してこそ、学びはようやく血の通ったものとなるのです。
>
> 読書と読書会、そして猫町倶楽部のコミュニティで、決してハリボテではない、強固な自信を取り戻す。その上で、もともといた自分の世界をもう一度見つめ直してみると、きっとそれまでとは多少なりとも違って見えるはずです。今まで、何一ついいことがないと思っていた日常の中にも、実は思わぬ楽しみが見つけられるかもしれません。嫌なやつばっかりだなんて思っていた身の回りの人たちに、思わぬ長所が見つかるかもしれません。あるいは、やっぱりここは自分の居場所ではなかったと、腹を決めて新天地に旅立つことになるかもしれません。それだっていいんです。自分にもこんなことができるんだと、自分自身をも見直すきっかけになるはずです。（『読書会入門』、一五〇頁）

ここには、共同で内面を掘り下げていくためのすぐれた範型が示されています。**本を媒介にして、他者と対話し、他者の固有性を尊重しながら、自分の世界や内面を見つめ直していく。**それは、本と他者があいまって、煮詰まりがちな自己を相対化する絶好の機会になるでしょう。

友愛を回復するために

そういう一人ひとりの小さな実践が、人びとのなかに友愛を形作っていきます。人間が類的な動物であることを見抜いていたアリストテレスは『ニコマコス倫理学』のなかで、「事実、もしひとびとがお互いに親愛的でさえあれば何ら正義なるものを要しないのであるが、逆に、しかし、彼らが正しきひとびとであるとしても、そこにやはり、なお愛というものを必要とする」（アリストテレス『ニコマコス倫理学（下）』高田三郎訳、六六頁）と語りました。

友愛的な関係がなければ、どれだけ立派な制度を整備してもハリボテの制度にしかなりません。**友愛があってはじめて、自由と平等をともに人びとが享受できる制度が機能する**のです。

第4章では、「民主主義か、全体主義か」という二者択一に飛びつく前に、個のレベルで人間関係を構築することで、立ち止まって考える機会を増やしていくという、もう一つの選択が必要であることを説明しました。それはまた、本章で見てきたように、**内面の暴発を防ぎ、友愛に基づいた社会をつくるための選択**でもあるのです。

■ブックガイド6

アルベール・カミュ
『ペスト』

宮崎嶺雄訳、新潮文庫、一九六九年

優れた作品は複数の読み解きが可能だ。原著が一九四七年に上梓されたときは、ナチス・ドイツによるフランス支配という文脈で読まれた。一九六九年に新潮文庫に収録された頃、当時の大学生は、バリケードで封鎖された大学の状況と重ね合わせてこの小説を読んだと思う。そして現時点では、新型コロナウイルスとこのウイルスによって引き起こされる肺炎が世界的に猛威を振るっている文脈で読まれている。

読者一人ひとりの問題意識や関心に応じて、本書からさまざまな「読み」を引き出してほしい。

引用・参考文献（本文への登場順）　＊掲載のURLは二〇二〇年七月現在のものです

・ユヴァル・ノア・ハラリ［柴田裕之訳］『ホモ・デウス――テクノロジーとサピエンスの未来（上下）』河出書房新社、二〇一八年

・ユヴァル・ノア・ハラリ［柴田裕之訳］「新型コロナウイルス後の世界――この嵐もやがて去る。だが、今行なう選択が、長年に及ぶ変化を私たちの生活にもたらしうる」「フィナンシャル・タイムズ」、二〇二〇年三月二〇日

・佐藤優『世界史の極意』NHK出版新書、二〇一五年

・『詳説　世界史（世界史B）』山川出版社、二〇一七年

・トゥキュディデス［小西晴雄訳］『歴史（上下）』ちくま学芸文庫、二〇一三年

・桜井万里子、本村凌二『世界の歴史5　ギリシアとローマ』中公文庫、二〇一〇年

・木村靖二ほか編『詳説　世界史研究』山川出版社、二〇一七年

・ウィリアム・H・マクニール［佐々木昭夫訳］『疫病と世界史（上下）』中公文庫、二〇〇七年

・ボッカッチョ［平川祐弘訳］『デカメロン（上中下）』河出文庫、二〇一七年

・エマニュエル・トッド［聞き手　高久潤］「コロナで不平等が加速する」朝日新聞デジタル、二〇二〇年五月二〇日

・ウォルター・シャイデル〔鬼澤忍、塩原通緒訳〕『暴力と不平等の人類史――戦争・革命・崩壊・疫病』東洋経済新報社、二〇一九年
・村上陽一郎『ペスト大流行――ヨーロッパ中世の崩壊』岩波新書、一九八三年
・ダニエル・デフォー〔武田将明訳〕『「英国十八世紀文学叢書3」ペストの記憶』研究社、二〇一七年
・『高校倫理 新訂版』実教出版、二〇一八年
・ミシェル・フーコー〔慎改康之訳〕『ミシェル・フーコー講義集成5 異常者たち――コレージュ・ド・フランス講義1974－1975年度』筑摩書房、二〇〇二年
・ミシェル・フーコー〔小林康夫ほか訳〕「社会医学の誕生」、『フーコー・コレクション6 生政治・統治』ちくま学芸文庫、二〇〇六年
・ジャレド・ダイアモンド〔倉骨彰訳〕『銃・病原菌・鉄――一万三〇〇〇年にわたる人類史の謎（上下）』草思社文庫、二〇一二年
・カール・マルクス〔エンゲルス編〕〔向坂逸郎訳〕『資本論（三）』岩波文庫、一九六九年
・池田光穂「病気の文明史」、川田順三、石毛直道編『生活の地域史』山川出版社、二〇〇〇年
・国立感染症研究所 http://idsc.nih.go.jp/disease/influenza/pandemic/QA02.html
・脇村孝平「英領インドにおける「スペイン風邪」（1918年）――なぜインフルエンザの死亡率がそれほど高かったのか？」、『経済学雑誌』第一〇〇巻、第3号、一九九九年

・佐藤優『新・帝国主義の時代 右巻 日本の針路篇』中央公論新社、二〇一三年
・佐藤優『新・帝国主義の時代 左巻 情勢分析篇』中央公論新社、二〇一三年
・クルツィオ・マラパルテ〔手塚和彰、鈴木純訳〕『クーデターの技術』中公文庫、二〇一九年
・金日成『金日成回顧録――世紀とともに1』外国文出版社、一九九二年
・ユヴァル・ノア・ハラリ〔柴田裕之訳〕『21 Lessons――21世紀の人類のための21の思考』河出書房新社、二〇一九年
・佐藤優『大国の掟――「歴史×地理」で解きほぐす』ＮＨＫ出版新書、二〇一六年
・エリック・ホブズボーム〔大井由紀訳〕『20世紀の歴史――両極端の時代（上下）』ちくま学芸文庫、二〇一八年
・マイクル・クライトン〔浅倉久志訳〕『アンドロメダ病原体』ハヤカワ文庫ＮＶ、二〇一二年
・ダン・ブラウン〔越前敏弥訳〕『インフェルノ（上中下）』角川文庫、二〇一六年
・外務省『われらの北方領土 ２０１９年版 資料編』
・ユルゲン・ハーバーマス〔山田正行、金慧訳〕『後期資本主義における正統化の諸問題』岩波文庫、二〇一八年
・デイヴィッド・ロックフェラー〔楡井浩一訳〕『ロックフェラー回顧録』新潮社、二〇〇七年
・福岡伸一「「福岡伸一の動的平衡」ウイルスという存在 生命の進化に不可避的な一部」朝日新聞、二〇二〇年四月三日

・今中次麿『民主主義』毎日新聞社、一九四六年

・カール・シュミット〔樋口陽一訳〕『現代議会主義の精神史的状況 他一篇』岩波文庫、二〇一五年

・カール・シュミット〔田中浩、原田武雄訳〕『大統領の独裁』未來社、一九七四年

・小川さやか『チョンキンマンションのボスは知っている――アングラ経済の人類学』春秋社、二〇一九年

・佐藤優『はじめての宗教論 左巻――ナショナリズムと神学』ＮＨＫ出版新書、二〇一一年

・ホルクハイマー、アドルノ〔徳永恂訳〕『啓蒙の弁証法――哲学的断層』岩波文庫、二〇〇七年

・フロマートカ（ロマドカ）〔松尾喜代司訳〕『革命の時代の教会と神学』新教出版社、一九六二年

・アルベール・カミュ〔宮崎嶺雄訳〕『ペスト』新潮文庫、一九六九年

・柚木麻子『伊藤くん A to E』幻冬舎文庫、二〇一六年

・窪美澄『アカガミ』河出文庫、二〇一八年

・村田沙耶香『消滅世界』河出文庫、二〇一八年

・芳沢光雄『論理的に考え、書く力』光文社新書、二〇一三年

・野矢茂樹『論理トレーニング１０１題』産業図書、二〇〇一年

・戸田山和久『新版 論文の教室――レポートから卒論まで』ＮＨＫブックス、二〇一八年

・斎藤哲也『試験に出る哲学――「センター試験」で西洋思想に入門する』ＮＨＫ出版新書、二〇

一八年
・斎藤哲也『もっと試験に出る哲学――「入試問題」で東洋思想に入門する』NHK出版新書、二〇二〇年
・佐藤優『いま生きる「資本論」』新潮文庫、二〇一七年
・佐藤優『資本主義の極意――明治維新から世界恐慌へ』NHK出版新書、二〇一六年
・ショウペンハウエル〔斎藤忍随訳〕『読書について 他二篇』岩波文庫、一九八三年
・山本多津也『読書会入門――人が本で交わる場所』幻冬舎新書、二〇一九年
・アリストテレス『ニコマコス倫理学（下）』〔高田三郎訳〕岩波文庫、一九七三年

あとがき

新型コロナウイルスがパンデミック化したことで人類は深刻な危機に直面している。

本書で強調したように、この危機は「リスク以上、クライシス未満」という性格を帯びている。リスクの閾値を超えているので、適切な処方箋を書くことができない。他方、クライシスではないので、コロナ禍によって人類が滅亡することもない。新型コロナウイルス感染症に対する治療法やワクチンの開発も、予想以上に難航している。

このパンデミックが起きた二〇二〇年初頭時点では、季節性インフルエンザのように夏には流行の波が去るだろうという見通しを述べる専門家もいたが、見通しが甘かった。現時点で、ワクチンが一年から一年半で開発されるので、それまでの辛抱だという見方を示す人がいるが、それも希望的観測かもしれない。かなり長期間にわたって、われわれはこの感染症と付き合っていくことを余儀なくされると思う。

人類は岐路に立っている。われわれは何らかの選択をしなくてはならない。未知の危機に直面したときに重要なのが、過去の歴史から学ぶことだ。本書の構想を練る過程で、私の頭から離れなかったのがダンテ『神曲　地獄篇』の冒頭のテキストだ。

人生の道の半ばで
正道《せいどう》を踏みはずした私が
目をさました時は暗い森の中にいた。
その苛烈《かれつ》で荒涼《こうりょう》とした峻厳《しゅんげん》な森が
いかなるものであったか、口にするのも辛《つら》い。
思い返しただけでもぞっとする。
その苦しさにもう死なんばかりであった。
しかしそこでめぐりあった幸せを語るためには、
そこで目撃した二、三の事をまず話そうと思う。
どうしてそこにはいりこんだかうまくいえない。

当時私はただもう夢中だったから
それで正道を捨てたのだ。
森の中で私の心は怖れおののいていたが、
しかしその谷が尽きたところで
私はとある丘の麓《ふもと》に辿《たど》りついた。
目をあげると、丘の稜線《りょうせん》が
もう暁光《ぎょうこう》に明るく包まれているのが見えた。
あらゆる道を通して万人《もろびと》を正しく導く太陽の光であった。

（ダンテ［平川祐弘訳］『神曲　地獄篇』河出文庫、二〇〇八年、八～九頁）

『神曲』を直訳すると「神のコメディー（喜劇）」になる。コメディーとは、お笑いではない。悲劇と異なりハッピーエンドの結末になるからコメディーと呼ばれる。ダンテは最初、ウェルギリウス、途中からベアトリーチェの案内で天国に至る。われわれもコロナ禍をコメディーにしなくてはならない。そのために求められるのが正しい選択（ダンテが言うところの正道）だ。私は本書にわれわれが正しい選択をする際に参考になる事柄を盛り込んだ。

ダンテは、天国に至るために、まず地獄めぐりをしなくてはならなかった。われわれも、自らが抱える深淵まで降りていかなくてはならない。こういうときに役立つのが神学的アプローチだ。私が尊敬するチェコのプロテスタント神学者ヨゼフ・ルクル・フロマートカはこんなことを述べている。

> ナザレのイエスの中では、神の栄光と罪人の貧しさ、愛の神聖さと罪とその呪い、全能と無力、生と死、恵みと裁き、勝利と敗北、光と闇、天国と地獄が交錯している。これらすべてのテーゼを自分自身の人生に、教会の人生に照らし合わせてみよ！　そうすれば、これが憶測などではなく、現実の中の現実であることがようやくわかるだろう。無力で見捨てられた状況、罪と罪責のどん底、絶望と死の影においてのみ、私たちは天から来る恵みと愛とは何かを理解できる。また、隣人の責任を負うことで勝利し、判決と呪いを背負うことで、裁かれた者を処刑台から下ろす聖と義とは何かを理解できるのである。
>
> （ヨゼフ・ルクル・フロマートカ［平野清美訳／佐藤優監訳］『人間への途上にある福音――キリスト教信仰論』新教出版社、二〇一四年、一八二頁）

われわれは、無力で見捨てられた状況にあり、罪と罪責のどん底にいて、絶望と死の影にとらわれていることを認識しなくてはならない。言い換えると危機を危機として認識することだ。これができれば、そこから抜け出す道が見つかる。われわれを救い出すために目には見えないが確実に存在する外部からの力が働く。この力を神と考えるか、歴史の理性と名づけるかはそれぞれの人の趣味により異なってくる。重要なのは、こういう力がわれわれに働いているという現実を認めることだ。

本書を上梓するにあたってはNHK出版の大場旦さん、黒島香保理さん、フリーランスの編集者で作家の斎藤哲也さんにたいへんにお世話になりました。どうもありがとうございます。

二〇二〇年七月一二日　曙橋（東京都新宿区）にて

佐藤　優

編集協力　斎藤哲也
　　　　　猪熊良子
校閲　大河原晶子
撮影　尾崎　誠
ＤＴＰ　角谷　剛

佐藤 優《さとう・まさる》

1960年、東京都生まれ。作家・元外務省主任分析官。
同志社大学大学院神学研究科修了後、外務省入省。
2002年、背任と偽計業務妨害容疑で逮捕、起訴され、
09年6月執行猶予有罪確定。
13年6月執行猶予期間を満了し、刑の言い渡しが効力を失う。
現在は、執筆活動に取り組む。『国家の罠』（新潮社）で
毎日出版文化賞特別賞受賞。『自壊する帝国』（新潮社）で
新潮ドキュメント賞、大宅壮一ノンフィクション賞受賞。
『十五の夏』（幻冬舎）で梅棹忠夫・山と探検文学賞受賞。
そのほか『国家論』（NHKブックス）、
『世界史の極意』『大国の掟』『国語ゼミ』（NHK出版新書）
など著書多数。

NHK出版新書 632

人類の選択
「ポスト・コロナ」を世界史で解く

2020年8月10日　第1刷発行

著者　佐藤 優　©2020 Sato Masaru

発行者　森永公紀

発行所　NHK出版
〒150-8081東京都渋谷区宇田川町41-1
電話（0570）009-321（問い合わせ）（0570）000-321（注文）
https://www.nhk-book.co.jp（ホームページ）
振替 00110-1-49701

ブックデザイン　albireo

印刷　壮光舎印刷・近代美術

製本　二葉製本

Printed in Japan　ISBN978-4-14-088632-8 C0236

NHK出版新書好評既刊

もっと試験に出る哲学
「入試問題」で東洋思想に入門する

斎藤哲也

ブッダに道元、西田幾多郎まで。「センター倫理」厳選26問を導きに、インド・中国・日本をまたぐ東洋思想の流れを明快に説く第2弾！

622

2025年のデジタル資本主義
「データの時代」から「プライバシーの時代」へ

田中道昭

GAFAなどの巨大テック企業による富の独占に抗い、世界で高まる個人情報保護の機運。デジタル資本主義が進展する中で、次に覇権を握る者とは？

623

今ここを生きる勇気
老・病・死と向き合うための哲学講義

岸見一郎

幸福に「なる」のではなく、「今」が幸福で「ある」。それが、人生の答えだ――。ベストセラー『嫌われる勇気』の著者による、はじめての講義型新書！

624

京都を壊した天皇、護った武士
「一二〇〇年の都」の謎を解く

桃崎有一郎

後鳥羽・後醍醐ら一部の天皇は、なぜ京都を危険に晒したのか!? 京都と天皇をめぐる一二〇〇年の「神話」を解体し、その本質へと迫る意欲作！

625

極上の死生観
60歳からの「生きるヒント」

齋藤 孝

〝生きること〟の究極的な本質とは何か？「死の不安」に打ち克ち、人生の意味に自分自身で気づく方法を、古今東西の賢者・哲人・聖者たちに学ぶ！

626

現代哲学の最前線

仲正昌樹

哲学は今何を問うているのか？正義論、承認論、自然主義、心の哲学、新しい実在論という5つのホットなテーマを概観し、その核心を一気に掴む！

627